DICIONÁRIO DO VIAJANTE INSÓLITO

Livros do autor publicados pela **L&PM** EDITORES:

Cenas da vida minúscula
O ciclo das águas (**L&PM** POCKET)
Os deuses de Raquel (**L&PM** POCKET)
Dicionário do viajante insólito (**L&PM** POCKET)
Doutor Miragem (**L&PM** POCKET)
Do mágico ao social
A estranha nação de Rafael Mendes
O exército de um homem só (**L&PM** POCKET)
A festa no castelo (**L&PM** POCKET)
A guerra no Bom Fim (**L&PM** POCKET)
Histórias de Porto Alegre
Histórias para todos os gostos
Minha mãe não dorme enquanto eu não chegar
Uma história farroupilha (**L&PM** POCKET)
Max e os felinos (**L&PM** POCKET)
Mês de cães danados (**L&PM** POCKET)
Pai e filho, filho e pai e outros contos (**L&PM** POCKET)
Pega pra Kaputt! (c/ Josué Guimarães, Luis Fernando
    Verissimo e Edgar Vasques)
Os voluntários (**L&PM** POCKET)

MOACYR SCLIAR

DICIONÁRIO DO VIAJANTE INSÓLITO

www.lpm.com.br

L&PM POCKET

Coleção **L&PM** POCKET, vol. 329

Texto de acordo com a nova ortografia.

Publicado em primeira edição pela L&PM Editores, em formato 16x23cm, em 1995.
Primeira edição na Coleção **L&PM** POCKET: 2006
Esta reimpressão: abril de 2011

Capa e projeto gráfico: Ivan Pinheiro Machado
Revisão: Renato Deitos, Jó Saldanha e Flávio Dotti Césa
Ilustrações: Arquivo L&PM

S549d

Scliar, Moacyr, 1937-2011
    Dicionário do viajante insólito / Moacyr Scliar. – Porto Alegre: L&PM, 2011.
    144 p.; 18 cm. (Coleção L&PM POCKET; v.329)

ISBN: 978-85-254-1290-4

1. Crônicas brasileiras. I. Título. II. Série.

                     CDD 869.98
                     CDU 869.0(81)-94

    Catalogação elaborada por Izabel A. Merlo, CRB 10/329.

© Moacyr Scliar, 2003

Todos os direitos desta edição reservados a L&PM Editores
Rua Comendador Coruja 314, loja 9 – Floresta – 90.220-180
Porto Alegre – RS – Brasil / Fone: 51.3225.5777 – Fax: 51.3221-5380

PEDIDOS & DEPTO. COMERCIAL: vendas@lpm.com.br
FALE CONOSCO: info@lpm.com.br
www.lpm.com.br

Impresso no Brasil
Outono de 2011

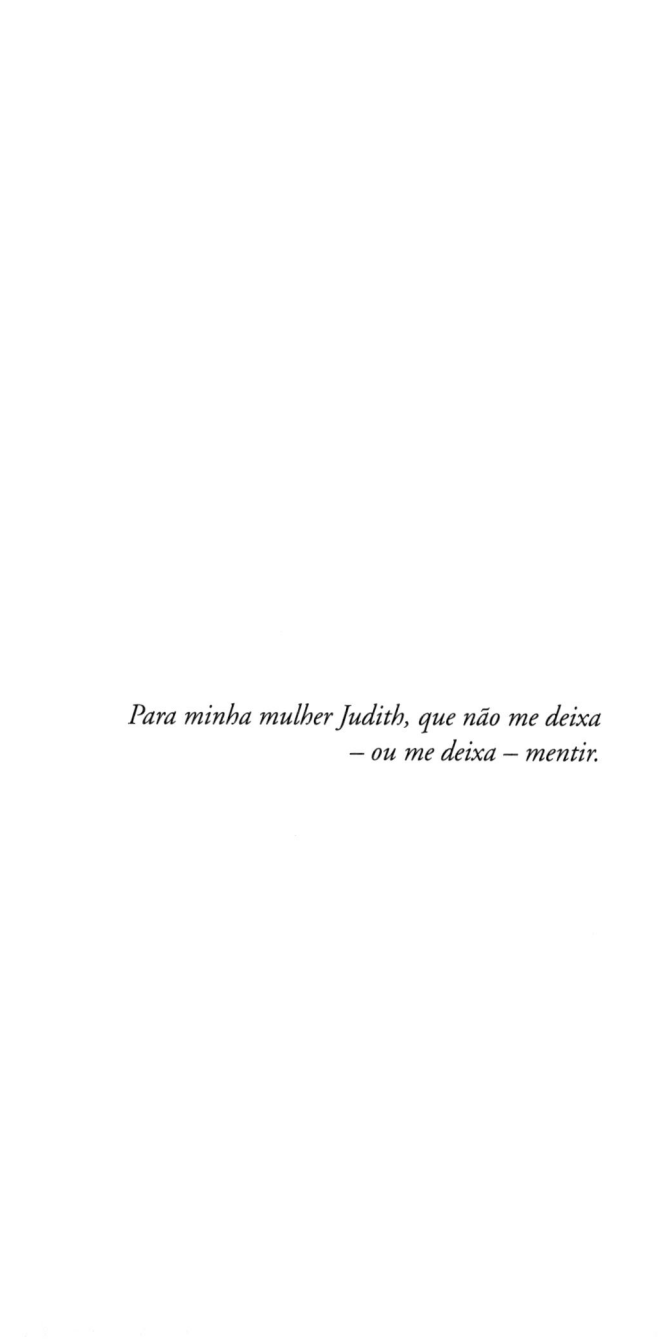

*Para minha mulher Judith, que não me deixa
— ou me deixa — mentir.*

APRESENTAÇÃO

Turista – substantivo que designa aquele que sai de sua terra natal para conhecer outros lugares – presta-se para outras variadas, controvertidas e divertidas definições. Valeu-se delas a literatura para criar a figura quase mítica do viajante em milhares de livros e frases, algumas das quais foram selecionadas por Moacyr Scliar e cruzam este livro numa leitura independente, ao pé da página.

Se a tecnologia, os agentes de viagem e o desenvolvimento da indústria turística acabaram com o charme de um Indiana Jones, pelo menos atraíram para a atividade milhões de meros mortais. E em vez de perigos espreitando em esquinas obscuras ou templos perdidos, a aventura hoje está nos aeroportos abarrotados, hotéis em promoção, táxis enigmáticos, bares, restaurantes e batalhas por centímetros de assento em aviões superlotados.

Neste *Dicionário do Viajante Insólito* você terá de *A* a *Z* um bem-humorado conjunto de histórias, dicas, lembranças, por um escritor que entende do que fala. Viajante contumaz, Scliar socorre-se do tema para praticar a boa literatura, percorrendo países e perscrutando a ansiosa alma do turista num relato em que muitos de nós certamente nos identificaremos.

Os editores

Sumário

A de Aeroporto / 11
B de Briga / 15
C de Cemitérios / 19
D de Diversão / 23
E de Esperteza / 27
   de Estilo / 28
F de Frustração / 31
G de Gueixa / 35
H de Hotéis / 39
I de Igreja / 45
   de Informações / 48
J de Jantar / 53
   de Jerusalém / 54
K de Kafka / 61
L de Livrarias / 65

M de Museus / 69
N de Neve / 75
O de Oportunidade / 77
P de Perder-se / 81
    de Prisão / 84
Q de Quando / 91
R de Roteiro Turístico / 95
    de Roupas / 99
S de Simbolismo / 103
T de Turista / 107
U de Urgente / 111
V de Ver / 115
W de Wunderkammer / 119
X de Xadrez / 123
Y de Yard Sale / 125
Z de Zebra / 129
    Sobre o autor / 133

de Aeroporto

Houve época em que o romantismo das viagens estava ligado ao cais do porto ou à estação ferroviária – essa última sobretudo no século dezenove, quando a "arquitetura do ferro", de que fala Walter Benjamin, produziu elegantes gares. Depois veio o avião, e o aeroporto assumiu definitivamente o papel de trampolim para o longínquo, para o desconhecido.

É um lugar bonito, o aeroporto. Dizem que nos países atrasados há pelo menos três lugares que impressionam os visitantes: o parlamento, o palácio do governo e o aeroporto. Mas para chegar ao palácio ou ao parlamento é preciso primeiro passar pelo aeroporto. Que é, assim, o cartão de visita número um. Daí o esplendor. Daí o conforto.

Não importa que a região seja tropical, com termômetros marcando temperaturas elevadíssimas: no

---

Viajar expande a nossa capacidade de simpatia, redimindo-nos da reclusão e da modorra dos limites da nossa personalidade. (José E. Rodó)

aeroporto o ar-condicionado proporciona sempre um fresco refúgio. E há bares, e restaurantes, e livrarias, e butiques. Sem falar no grande terraço.

Sempre há gente no terraço. Não são os *frequent travellers*, os viajantes habituais; estes já estão cansados de ver aviões decolando ou pousando. Não, os visitantes do terraço são outros. É gente que vem de longe para conhecer o aeroporto. Para muitos, espetáculo significa um concerto, uma peça de teatro; para pessoas que moram no interior, e sobretudo para os jovens, espetáculo é o que se descortina do terraço. Alugam um ônibus de excursão e viajam às vezes muitas horas. Toda a sua experiência de aeroporto se resumirá a isto, àquelas poucas horas que ali ficarão, apoiados no parapeito, mirando extasiados as aeronaves. Pela primeira e, em muitos casos, pela última vez: a barreira entre pobres e ricos separa também aqueles que viajam de avião e aqueles que sonham com essa possibilidade. Penso na faxineira que um dia, no aeroporto, me perguntou se eu ia para o Rio. Não, eu ia para São Paulo. O meu sonho era conhecer o Rio, suspirou ela, acrescentando:

– Mas se eu pudesse ir até Santa Catarina também já estava bom.

O aeroporto é assim: um lugar de sonhos. E de vida provisória. A existência fica, enganosamente embora, em suspenso, enquanto os alto-falantes anunciam, monotonamente, a chegada e a partida de voos. Algumas pessoas leem, outras caminham; eu escrevo. Sempre achei que o aeroporto fosse um

---

Um viajante deve ter olhos de falcão, estômago de avestruz, lombo de camelo; deve carregar dois sacos: um cheio de paciência, outro cheio de dinheiro. (John Florio)

lugar ideal para escrever, sobretudo ficção. Que exige, como disse Coleridge, *that willing suspension of disbelief*, aquela momentânea suspensão da incredulidade sem a qual nem escritor nem leitor abandonam a realidade. Tudo, no aeroporto, colabora para tal: a arquitetura futurista, a distância da cidade, a imaculada limpeza do chão, o brilho espectral dos monitores que indicam números de voos, horários e portões. O aeroporto é ficção ancorada na realidade.

Viajamos para nos livrarmos de nós mesmos, mais do que para nos livrarmos dos outros. (William Hazlitt)

B
de Briga

Quem viaja, em geral, está numa boa, em paz com o mundo. Mas, em viagem, uma briga ou outra será inevitável; alguma vez teremos de reclamar, num hotel ou num restaurante, do mau atendimento. Mas tudo bem – se podemos reclamar. Se a pessoa a quem nos dirigimos nos entende (se vai nos dar bola ou não, é outro problema).

O que fazer, porém, quando queremos bater boca com uma pessoa que não tem nenhum idioma em comum conosco? Passei por uma situação assim em Praga.

Da cidade, levávamos várias recordações – a casa de Kafka, o centenário bairro judaico – e outras tantas decepções: por exemplo, o mercado negro de dólares, pouco compatível com a moral socialista ainda vigente naquela época. Uma atividade que já demonstrava, de forma eloquente, como é difícil

---

Não é porque o asno viaja que ele volta um corcel. (Thomas Fuller)

impor os valores do coletivismo. O capitalismo, pragmático, compra as pessoas. E, à época, comprava bem. O dólar era então moeda forte.

No terminal aéreo tomamos o transporte da lumpenburguesia – o ônibus para o aeroporto. Estava quase lotado. Sobravam dois lugares, separados. Num, minha mulher sentou. Noutro, eu sentei. Ela ia ao lado de uma velhinha magrinha. A meu lado, um russo gordo.

Gordo, não. Imenso. Uma formidável massa humana, um espanto em termos de obesidade. No momento em que o vi descobri por que os soviéticos estavam passando fome: o brutamontes decerto consumia 90% do alimento disponível no campo socialista.

HÁ DOIS TIPOS DE VIAGEM: OU A GENTE VIAJA DE PRIMEIRA CLASSE, OU VIAJA COM AS CRIANÇAS. (ROBERT BENCHLEY)

Sentei-me na beira do banco, com malas e pacotes – uma posição de extrema precariedade. Que o homem nem notou. Outro teria se encolhido, numa tentativa de proporcionar mais espaço ao companheiro de viagem. O russo sequer o tentou.

(A propósito, como sabia eu que era russo? Bem, eu sabia. Essas coisas são intuitivas. E são mais intuitivas num descendente de russos, como é o meu caso.)

Tão logo o ônibus deu a partida, verifiquei que meu equilíbrio era extremamente precário. A cada curva, e curvas havia muitas, eu tinha de me segurar para não cair, e num momento quase caí mesmo. Quanto ao russo, olhava a paisagem com ar enfastiado.

Aquilo me deu raiva. Viajar decentemente num ônibus cuja passagem a gente paga é um direito de qualquer passageiro. Pode não figurar no rol dos direitos humanos fundamentais – pelos quais tantos dissidentes haviam lutado –, mas era, sim, um direito. Pelo qual eu brigaria.

Comecei a empurrar o homem para o canto. A princípio disfarçadamente, como convém à atividade guerrilheira, e logo – não tendo obtido resultado – furiosamente.

Inútil. O homem estava mais firme que os Montes Urais. Minhas subdesenvolvidas energias nada podiam contra aquela mole humana. E minha derrota foi selada quando ele, mediante um simples movimento (acompanhado de um suspiro de tédio), quase me atirou à distância.

Quem viajou muito pode mentir com impunidade. (Provérbio francês)

A essa altura, qualquer esperança de conquistar espaço vital estava perdida. A derrota selada, tudo que eu podia esperar era manter-me sentado, aparentando alguma dignidade. Resisti bravamente; afinal, a honra do Terceiro Mundo estava em jogo. Mais: tentei aparentar indiferença, assobiando um sambinha. E quando já não conseguia manter minha posição – eis que o aeroporto aparece.

O russo sumiu. Mas, ao longo dos anos, tenho evocado sua figura. E coloco-a – minha vingança – no Afeganistão, na Tchetchênia. Em qualquer lugar em que ele tenha, como eu, de lutar por seu espaço.

Há duas regras. Uma é a recomendação de E. M. Forster para conhecer Alexandria: vaguear sem destino. A outra é dos Salmos: rosne como um cão e corra pela cidade. (Jan Morris)

C *de Cemitérios*

Cemitérios, sim. Por que não? Como disse o escritor Max Frisch, temos amigos entre os mortos, amigos de cuja existência às vezes nem suspeitamos e que aguardam quietos a nossa visita.

E há cemitérios famosos a visitar: o de Arlington, em Washington, o de Père Lachaise, em Paris, o de Highgate, em Londres. Famosos, claro, pelas celebridades que lá descansam.

Em Highgate está o túmulo de Marx, que, como sabemos, morreu várias vezes. Morto, ele contudo vive; o marxismo tem sido questionado e até ridicularizado, mas a singular figura daquele que uniu a teoria à paixão continua a exercer fascínio. Por isso Highgate é um lugar de peregrinação. Vocês têm de ver o busto de Marx, insistiu a nossa amiga Adela, à época uma fervorosa militante esquerdista. Fez questão de nos levar até lá de carro.

A VIAGEM É UMA MESTRA QUE ENSINA LIÇÕES AMARGAS. (THÉOPHILE GAUTIER)

Era uma tarde de inverno, escurecia rapidamente. Adela estacionou a alguma distância do cemitério. Tínhamos de nos apressar, disse.

O acesso a Highgate estava a cargo de um grupo de senhoras da comunidade, que voluntariamente cuidavam do lugar.

O zelo que observavam no cumprimento do horário era, segundo Adela, menos devido à pontualidade britânica que ao instinto reacionário das damas.

Não deu outra. Quando lá chegamos, uma idosa *lady* preparava-se para fechar o portão. Adela gritou-lhe que esperasse um pouco. O apelo caiu em ouvidos moucos; a guardiã sequer lhe respondeu. Adela correu e colocou o pé, impedindo que o portão fosse fechado. Travou-se então uma espécie de luta de classes, Adela gritando que nós éramos estrangeiros, que tínhamos o direito de ver Marx, a mulher resistindo. À semelhança da Pasionaria – Dolores Ibarruri, grande líder da esquerda

---

Viajo para voltar. (William Trevor)

na Guerra Civil Espanhola –, ela podia bradar, mas com indiscutível desprezo direitista: "No pasarán!" Eu tentava convencer Adela a abandonar o combate: podíamos voltar outro dia, não valia a pena brigar. Mas ela não desistiria. Àquela altura o que estávamos presenciando era a batalha final entre as forças do progresso e da reação.

A reação venceu. Num derradeiro esforço a mulher conseguiu fechar o portão, mantendo-nos do lado de fora. Fomos embora. Vencidos, mas não derrotados: anos depois voltei a Highgate, com meu filho Beto. Era de manhã, conseguimos entrar sem outro problema que não a insistência do zelador; ao contrário da velha senhora de antanho, ele queria contar a história do Karl – em troca, naturalmente, de alguma grana. Quando eu lhe disse que estava suficientemente informado sobre o assunto, foi embora praguejando. Ficamos por ali, entre os túmulos de vários revolucionários que silenciosamente escoltam o fundador do marxismo. Quando saímos o Beto me perguntou duas coisas: 1) a que hora iríamos almoçar e 2) quem era mesmo o homem cujo busto acabáramos de ver. Com o que eu concluí que, se a história não chegou a seu fim, está perto.

Highgate é glorioso em sua melancolia; mas meu campo-santo inesquecível é o de Amherst, pequena cidade de Massachusetts onde passei um mês, num seminário de saúde pública. Aos domingos, eu costumava ir ao pequeno e antigo cemitério para ler as inscrições nas antigas lápides, algumas datando

---

SÓ COMEÇAMOS A GOSTAR DE UMA VIAGEM TRÊS SEMANAS DEPOIS DE TER VOLTADO. (GEORGE ADE)

do século dezoito. Poético, aquele lugar: sem dúvida ali se inspirou Emily Dickinson (1830-1886) quando escreveu o seu famoso poema:

> *Morri pela beleza e mal estava*
> *no túmulo acomodada,*
> *quando veio habitar a sepultura ao lado*
> *alguém que a verdade defendera.*
>
> *Suave perguntou: "Por que morreste?"*
> *"Pela beleza", respondi.*
> *"E eu pela verdade. São ambas uma só.*
> *Irmãos é o que somos", ele disse.*
>
> *E como parentes que à noite se encontram,*
> *entre os jazigos conversamos,*
> *até que o musgo cresceu sobre nossos lábios*
> *e cobriu nossos nomes.*

Não visitei a casa de Emily Dickinson, que transformou sua imensa solidão em lírica poesia. Mas, no cemitério, havia o túmulo de uma mulher que deve ter sido igualmente admirável, se não na dimensão da beleza, então na dimensão da verdade. "Ela fez o que pôde", dizia o epitáfio, colocado pelo marido e pelos filhos. O que pôde: não mais, mas também não menos. Inesperada lição num inesperado lugar.

PALAVRA TRISTE: TURISTA. (VALÉRY LARBAUD)

D
de Diversão

A noite do turista é dedicada ao teatro, ao concerto, ao restaurante. Na ausência de teatro, de concerto, de restaurante, o turista sofre. E esse sofrimento ele procurará evitar a qualquer preço.

Indo para o Japão fiquei uns dias em Los Angeles. Indicaram-me um hotel em Balboa Street; a moça que me fez a indicação disse que eu estaria localizado na rua mais longa do mundo (o que, segundo o Guiness Book of Records, não é verdade: a rua mais longa do mundo é a Yonge Street, em Toronto, que tem 1.178,3 milhas. Estive nessa também, mas não medi. Deve ser verdade).

Ficar numa rua famosa por sua extensão pode ser motivo de orgulho, mas é também um problema. Foi o que constatei à noite, quando perguntei ao porteiro como poderia chegar a um teatro ou cinema.

Ele perguntou se eu estava de carro. Quando respondi que não, lançou-me um olhar em que se somavam espanto, desprezo e comiseração:

A PATAGÔNIA CONVÉM À MINHA IMENSA TRISTEZA. A PATAGÔNIA E OS MARES DO SUL. (BLAISE CENDRARS)

– Aqui não se vai a lugar nenhum sem carro – disse. – Nós estamos longe de qualquer coisa.

E veio de novo com o papo da rua mais longa do mundo. Ouvi, resignado, e me dirigi para o elevador, preparado para passar a noite no quarto vendo tevê. O elevador demorou, e nisto havia a mão do destino; de repente avisto o homem, que vinha correndo em minha direção: acabava de lembrar-se – havia, sim, um teatro ali perto. Na verdade, em frente ao hotel.

Por sua expressão, vi que não se tratava de nada excepcional. Mas eu não tinha nada a perder. Atravessei a rua e vi-me diante de um velho prédio com vários andares. Era o teatro.

Os cartazes anunciavam um musical qualquer. Título desconhecido, diretor idem, atores idem, idem – mas eu não podia esperar Fred Astaire. Dirigi-me à bilheteria, pedi um ingresso. E aí veio a primeira surpresa: o bilheteiro era também o porteiro. Perguntei o preço do ingresso. Para um teatro daqueles, não era barato.

– Mas inclui o jantar – disse o homem. – Um ótimo jantar.

Passou-me o ingresso, saiu da bilheteria e veio para a porta recolhê-lo. Faço as duas funções, explicou. E apressou-se a acrescentar:

– Estamos com falta de pessoal. Mas é uma coisa temporária. O senhor conhece o caminho?

Não, eu obviamente não sabia o caminho. Ele então se ofereceu para me acompanhar. Nova

---

Os homens viajam, as mulheres têm amantes. (André Malraux)

surpresa: porteiro, acompanhando espectador? E quem cuidaria da porta? Aliás, quem venderia os ingressos?

Tais questões não pareciam perturbá-lo: aparentemente ele fazia questão de me levar até o lugar do espetáculo. Fomos, portanto, caminhando. Nesse momento juntou-se a nós um outro cavalheiro, um senhor de idade, que se apresentou como administrador. Não gostaria eu de conhecer as dependências do teatro? Havia tempo, o espetáculo só começaria dentro de uma meia hora. A essa altura, mais um senhor apareceu, insistindo: o teatro era um verdadeiro patrimônio histórico, valeria a pena conhecê-lo.

Fomos subindo de andar em andar. Passamos pela pequena biblioteca, pelos antigos camarins, chegamos à galeria dos diretores, cheia de fotos veneráveis. Já não éramos três, mas quatro; um senhor, aparentemente funcionário, agora nos acompanhava.

Finalmente chegamos ao local do espetáculo, um restaurante com um palco ao fundo. E então descobri por que tinha sido o alvo de tantas atenções.

Eu era o único espectador. Duas ou três mesas tinham um pequeno cartaz de "Reservado", mas o único que estava ali presente era eu. Pediram-me que escolhesse uma mesa próxima ao palco, o que eu fiz. Sentei-me e todos se retiraram. Fiquei ali sozinho, aguardando, com a sensação que deve ter a vítima num filme de terror. Finalmente a cortina se abriu, e ali estava o musical: três atores e três

---

O TURISTA NÃO CHEGA A CONHECER AS PESSOAS. ELE JULGA UM LUGAR PELAS DIVERSÕES QUE OFERECE. (ANDRÉ MAUROIS)

atrizes, cantando a plenos pulmões, sapateando ferozmente e olhando fixo – para quem? – para mim. Não havia mais nada, nem ninguém, que eles pudessem olhar.

Não há segundo ato nas vidas americanas, disse F. Scott Fitzgerald. Mas na vida daqueles americanos e, principalmente, no show que estavam apresentando, havia sim, um segundo ato e – para sorte minha – um intervalo. No breve espaço de tempo em que as luzes estiveram apagadas esgueirei-me para fora. Desci as escadas silenciosamente e, tendo escapado aos cicerones e ao porteiro, atravessei a rua em direção ao hotel.

A Balboa Street pode não ser a rua mais longa do mundo. Mas aquela foi uma das mais longas noites de minha vida.

VIAJAR É UMA COISA BRUTAL. PERDEMOS O CONFORTO DO LAR E DOS AMIGOS, SOMOS FORÇADOS A CONFIAR EM ESTRANHOS. ESTAMOS SEMPRE FORA DE NOSSO EQUILÍBRIO. (CESAR PAVESE)

E *de Esperteza*

A ideia do turista como um bobo que é sempre enganado por espertalhões locais nem sempre corresponde à realidade. Turista brasileiro, por exemplo, frequentemente é esperto. Mal chega a uma cidade, ele descobre qual a loja que vende mais barato, o restaurante onde se come melhor e como entrar de graça num museu. Muitas vezes a Europa e os Estados Unidos tiveram de se curvar ante a malandragem brasileira.

O dono de um hotel londrino andava intrigado com o que acontecia nos quartos de seus hóspedes brasileiros. Era inverno e, teoricamente, os nossos patrícios deveriam estar sofrendo com o frio, rigoroso. Ora, cada quarto contava com um aparelho de calefação que só funcionava, como sói acontecer com muitas coisas na Europa, com a colocação de uma moeda na competente fenda. No entanto, os brasileiros não colocavam moeda alguma. Estranha-

---

As pessoas vão para outro país porque não se sentem bem no seu próprio, e voltam porque ninguém lhes dá atenção no lugar para onde foram. Só os fúteis viajam. (Ralph Waldo Emerson)

mente, os aposentos estavam sempre quentes e os brasileiros sempre satisfeitos. O que o homem não conseguia descobrir era como faziam funcionar a calefação sem colocar moeda, sem forçar a máquina – e sem deixar vestígios. E nunca chegaria à resposta se um brasileiro – talvez por pura bazófia – não tivesse lhe contado. A coisa era assim: eles haviam verificado que a água deixada para congelar numa tampinha de garrafa adquiria exatamente o formato da moeda que era preciso colocar na máquina. Quando a ficha de gelo derretia dentro da máquina, não deixava vestígio algum. O crime perfeito, que nenhuma Scotland Yard conseguiria descobrir.

E *de Estilo*

Em relação a estilo de viajar, há basicamente duas formas. Aqueles que podem, fazem-no com vagar, conhecendo bem os lugares e saboreando a experiência do novo. Os que não podem, porque têm pouco tempo, ou pouco dinheiro, ou ambos, recorrem ao estilo "se hoje é sábado, isto deve ser Florença": correria e ansiedade.

Não há coisa pior para os mortais do que uma vida nômade. (Homero)

Minha primeira viagem à Europa foi assim. Percorremos, minha mulher e eu, um número assombroso de cidades, com o livro do Frommer debaixo do braço (naquela época era *Europe five dollars a day*, cujo título mostra que a inflação não é só um problema brasileiro). Em cada lugar que chegávamos era um susto: o número de museus, de lugares históricos, de pontos de interesse, enfim, era sempre muito maior do que imaginávamos. E chegávamos a nos queixar: precisava a Europa ser tão culta? Precisava concentrar tantas obras de arte? Passada essa fase inicial, iniciávamos a maratona, que exigia muita resistência e sacrifício: nossas refeições limitavam-se a sanduíches, as horas de sono eram drasticamente reduzidas. No Brasil a gente poderá comer e dormir, prometíamo-nos.

Chegávamos aos hotéis (aqueles hotéis baratos, mas, como dizia o Frommer, decentes e limpos) exaustos. Uma noite, em Londres, tive a ideia – boa

A VIAGEM É UMA SEQUÊNCIA DE DESAPARECIMENTOS IRREPARÁVEIS. (PAUL NIZAN)

ou má, ainda não sei – de dar uma olhada no jornal antes de deitar. E ali vi anunciado um imperdível programa de cinema: *Morrer em Madri* e *Um Cão Andaluz*. O primeiro estava proibido no Brasil – era a época da censura; quanto ao segundo, bem, trata-se do clássico de Buñuel. O problema era a hora da sessão especial: duas da manhã, num cinema de arte que não ficava tão perto.

Minha mulher, Judith, não tinha condições, mas eu decidi enfrentar. Para chegar ao lugar poderia contar com o metrô: para voltar, só a pé. Mas eu voltaria a pé.

O pequeno cinema estava quase vazio, mostrando que os londrinos não tinham tanta dedicação pela causa cinematográfica quanto o jovem viajante brasileiro. O que em absoluto me importava: eu estava ansioso por ver os filmes. *Morrer em Madrid* correspondeu por inteiro à minha expectativa, mas com a enigmática película de Buñuel começaram os problemas. Eu simplesmente não conseguia manter os olhos abertos. Várias vezes devo ter adormecido; e adormecido, eu sonhava; e, no meu sonho, estava vendo um filme de Buñuel chamado *O Cão Andaluz*. E aí acordava sobressaltado: o que estava eu vendo, afinal – as imagens de Buñuel ou as do meu sonho?

Não sei. Até hoje não sei. Para mim existem dois filmes chamados *O Cão Andaluz,* aquele que eu vi e aquele com que eu sonhei. Um dilema digno de Borges – e muito característico do viajante apressado.

Viajar é conversar com os séculos. (Descartes)

F
de Frustração

Viajar, para muitos, é a grande realização; não viajar, para muitos, é a grande frustração.

Havia um casal que tinha uma inveja terrível dos amigos turistas – especialmente dos que faziam turismo no exterior. Ele, pequeno funcionário de uma grande firma, ela, professora primária, jamais tinham conseguido juntar o suficiente para viajar. Quando dava para as prestações das passagens não chegava para os dólares, e vice-versa; e assim, ano após ano, acabavam ficando em casa. Economizavam, compravam menos roupa, andavam só de ônibus, comiam menos -- mas não conseguiam viajar para o exterior. Às vezes passavam uns dias na praia. E era tudo.

Contudo, tamanha era a vontade que tinham de contar para os amigos sobre as maravilhas da Europa, que acabaram bolando um plano. Todos os anos, no fim de janeiro, telefonavam aos amigos:

O VÃO TRABALHO DE VER VÁRIOS PAÍSES. (MAURICE SCÈVE)

estavam se despedindo, viajavam para o Velho Mundo. De fato, alguns dias depois começavam a chegar postais de cidades europeias: Roma, Veneza, Florença; e ao fim de um mês eles estavam de volta, convidando os amigos para verem os *slides* da viagem. E as coisas interessantes que contavam! Até dividiam os assuntos: a ele cabia comentar os hotéis, os serviços aéreos, a cotação das moedas e também o lado pitoresco das viagens; a ela tocava o lado erudito: comentários sobre os museus e locais históricos, peças teatrais que tinham visto. O filho, de dez anos, não contava nada, mas confirmava tudo; e suspirava quando os pais diziam:

– Como fomos felizes em Florença!

O que os amigos não conseguiam descobrir era de onde saíra o dinheiro para a viagem; um, mais indiscreto, chegou a perguntar. Os dois sorriram, misteriosos, falaram numa herança e desconversaram. Depois é que ficou se sabendo.

Viajar não é necessário, a não ser para as imaginações limitadas. (Colette)

Não viajavam coisa alguma. Nem saíam da cidade. Ficavam trancados em casa durante todo o mês de férias. Ela ficava estudando os folhetos das companhias de turismo, sobre – por exemplo – a cidade de Florença: a história de Florença, os museus de Florença, os monumentos de Florença. Ele, num pequeno laboratório fotográfico, montava *slides,* em que as imagens deles estavam superpostas a imagens de Florença. Escrevia os cartões-postais, colava neles selos usados com carimbos falsificados. Quanto ao menino, decorava as histórias contadas pelos pais para confirmá-las se necessário.

Só saíam de casa tarde da noite. O menino, para fazer um pouco de exercício; ela, para fazer compras num supermercado distante; e ele, para depositar nas caixas de correspondência dos amigos os postais.

Poderia ter durado muitos e muitos anos, esta história. Foi ela quem estragou tudo. Lá pelas tantas, cansou de ter marido pobre, que só lhe proporcionava excursões fingidas. Apaixonou-se por um piloto, que lhe prometeu muitas viagens, para os lugares mais exóticos. E acabou pedindo o divórcio.

Beijaram-se pela última vez ao sair do escritório do advogado.

– A verdade – disse ele – é que me diverti muito com a história toda.

– Eu também me diverti muito – ela disse.

– Fomos muito felizes em Florença – suspirou ele.

– É verdade – ela disse, com lágrimas nos olhos.

E prometeu-se que nunca mais iria a Florença.

Os viajantes, como os poetas, são uma espécie irada. (Sir Richard Burton)

G
de Gueixa

Ocasionalmente, o turismo pode incluir algum contato com aquilo que é chamado de a mais antiga profissão do mundo. Bairros da luz vermelha foram até retratados por artistas (no Brasil, o Mangue, por Lasar Segall), mas o mais conhecido de todos certamente fica em Hamburgo, na Alemanha. Fundada em 811 por Carlos Magno (que, diz Emmet Murphy em *Great Bordellos of the World,* London, Quartet Books, 1983, era um grande frequentador de casas de tolerância), a cidade tem um distrito que é famoso, St. Pauli. Ali, como no Walletjes de Amsterdam, as mulheres ficam expostas em vitrinas: o consumo levado às suas últimas consequências.

Certos turistas não pensam num lugar específico, mas sim num específico tipo de mulher. As gueixas.

Conheci um homem que sonhava com gueixas, e que aliás não fazia segredo disso – para desgosto

---

Viajar é um prazer privado. Não há ninguém mais chato do que o sujeito que fala sobre suas viagens. Não faço nenhuma questão de saber o que ele viu em Hong Kong. (Vita Sackville-West)

da própria esposa, uma senhora dedicada ao marido, mas pouco versada nas artes do amor.

Pois o destino resolveu ajudar o fã das gueixas. A firma da qual ele era um dos diretores enviou-o ao Japão, numa viagem de negócios. E assim uma noite ele se viu em Tóquio, hospedado num luxuoso hotel – e com a perspectiva de uma excitante aventura.

Só que ele não sabia o que fazer para viver tal aventura. Podia, naturalmente, perguntar na recepção do hotel como chegar às gueixas; mas tinha receio de sair sozinho e de se meter em alguma confusão. Por outro lado, perder aquela oportunidade...

De novo o destino veio em seu auxílio. Sobre a mesa estava, em inglês, uma lista dos serviços oferecidos pelo hotel. Havia sauna, havia salão de ginástica – e havia massagistas.

Uma luzinha acendeu-se em sua cabeça. Massagista – claro! O hotel não poderia falar em gueixas. Usava então um eufemismo. Acompanhado de uma

NUM PAÍS SUBDESENVOLVIDO NÃO BEBA A ÁGUA. NUM PAÍS DESENVOLVIDO NÃO RESPIRE O AR. (JONATHAN RABAN)

explicação: as massagistas atendiam no quarto. Era só solicitar à recepção.

Levantou o fone e, num inglês arrevesado (complicado ainda por seu nervosismo), pediu – com urgência – uma massagista japonesa. Despiu-se, perfumou-se e ficou deitado, à espera.

Pouco depois a campainha soou. Levantou-se de um pulo, abriu a porta, sorridente, mas recuou em seguida, horrorizado: diante dele, vestindo um imaculado avental branco, estava a japonesa mais velha – e mais feia – que ele já tinha visto.

Uma verdadeira megera. O rosto encarquilhado. A boca murcha, meio torcida num sorriso que pretendia ser simpático, mas que só a tornava mais horrorosa.

– Sou a massagista – disse a mulher, e foi entrando, vacilante, tateando os móveis.

Foi então que o homem se deu conta do fato constrangedor: a japonesa era cega. Claro. Como em muitos outros países, tinham-lhe reservado uma ocupação compatível com seu defeito. E deveria ser até uma excelente massagista.

Mas o nosso executivo já não queria massagens. Atrapalhando-se todo, tentou explicar que era engano, que não tinha pedido massagista alguma. A velha senhora ignorava-lhe as explicações; orientada pela voz, avançava na direção dele, sorridente, as mãos estendidas, pronta para massagear.

Iniciou-se então uma estranha caçada. Assustado, o homem fugia pelo quarto, nu (nenhum pro-

---

Três coisas enfraquecem o ser humano: o medo, o pecado, a viagem.
(Talmud)

blema, já que a mulher não podia vê-lo), enquanto a massagista o perseguia, a passos vacilantes, porém determinada a alcançá-lo. Estivesse vestido, o homem teria escapado pelo corredor, mas não, tinha de resolver o assunto ali mesmo.

O acaso ajudou-o. Havia no quarto um grande armário, um *closet,* cujas portas ele tinha deixado abertas. Postou-se ali, resmungou qualquer coisa e, quando a massagista avançou, empurrou-a para dentro e fechou a porta.

Por alguns minutos ouviram-se gritos abafados e golpes na porta. Depois, fez-se o silêncio.

O homem suspirou, aliviado, enxugou o suor.

– Nunca mais – murmurou – me meto numa destas!

Estava decidido a sair, a tomar um trago, a ir numa boate – enfim, a fazer qualquer coisa que apagasse de sua mente a impressão horrível da massagista avançando em sua direção.

Mas aí interveio o destino. Ele abaixou-se para pegar as calças que tinham caído no chão e, ao tentar erguer-se, soltou um grito de dor. Era a coluna! A maldita coluna!

Não teve outro jeito. Gemendo, arrastou-se até o armário e – sorriso amarelo na cara – abriu as portas de par em par.

As estações ferroviárias são a porta para o glorioso e o desconhecido. Através delas mergulhamos na aventura. Através delas — infelizmente — voltamos. (E. M. Forster)

H
de hotéis

Anthony Burgess tem um conto sobre um homem que resolve passar a vida viajando de avião. Ele come nos aviões, ele dorme nos aviões, ele lê nos aviões. Aproveita os aeroportos para tomar banho, trocar de roupa e fazer uma ou outra compra.

Um viajante assim não teria problemas de alojamento; mas um viajante assim, só na ficção. Os outros precisam de algum lugar para dormir. Estudantes conhecendo o mundo usam os bancos de estações ferroviárias ou o chão dos aeroportos; ou então acampam em barracas.

(Acampar em barraca: um sonho de adolescência, que, às vezes, fica só no sonho. Conheço um homem que, depois de adulto, resolveu acampar na praia. Tinha barraca, tinha os utensílios de acampamento; o único problema é que tinha também uma casa, uma enorme casa com um conforto do qual

---

Viajar é uma coisa atávica. Mas dia virá em que só os recém-casados viajarão. (Max Frisch)

ele já não podia prescindir. Resolveu o problema acampando no pátio. Todos os dias a empregada levava-lhe uma bandeja com o café da manhã.)

Quando a gente começa a viajar, aceita qualquer teto sobre a cabeça. Pensões, por exemplo; na Europa existem várias: antigas casas, cujos donos recebem hóspedes. Hotéis também não precisam ser caros, desde que se possa prescindir de certos confortos, como banheiro no quarto. Aí há truques. Num hotel em Veneza o elevador só se movia mediante a colocação de uma moeda no receptáculo próprio. No hotel em que ficamos há muitos anos em Zurich fiquei esperando para tomar banho. O homem que estava lá dentro cantava – uma ária de

Toda viagem é uma forma de autoextinção gradual. (Shiva Naipaul)

ópera –, mas numa velocidade que deixaria Verdi possesso. Ao entrar, descobri por quê: o chuveiro só fornecia água mediante uma moeda, e mesmo assim por tempo limitado: para uma ária dava, para a ópera completa, nunca. No Hotel Royal Navarin, em Paris, não havia interruptor de luz no banheiro. A lâmpada só acendia quando se fechava a porta – mas quem fecharia a porta, se o banheiro estava escuro? Só os iniciados podiam evacuar em paz.

Uma vez chegamos a Florença com muito pouco dinheiro. No terminal turístico da estação ferroviária pedimos um hotel bem barato. A moça deu-nos um endereço. Fomos até lá. Era um velho estabelecimento, com poucos e acanhados quartos. Instalamo-nos – e durante a noite ficamos surpresos com a movimentação do lugar: gente falando, rindo, cantando. De manhã, encontramos algumas das frequentadoras e nos demos conta: era um equivalente local, e muito mais precário, de nossos motéis.

Para hotéis melhores é preciso fazer a reserva. E é então que alguém com um sobrenome complicado, como o meu, sofre. Uma vez tive de viajar a São Luiz, no Maranhão, e resolvi telefonar para o hotel fazendo uma reserva. O homem não conseguia entender o Scliar. Para facilitar as coisas, resolvi soletrar: S de Silveira, C de Carlos, L de Luiz e assim por diante. Viajei, fui ao hotel, perguntei por minha reserva. O homem consultou o livro: Scliar, de Porto Alegre? Não, não havia nenhuma reserva

---

Viajou. Conheceu a melancolia dos navios, o aturdimento das paisagens e das ruínas, a amargura das simpatias interrompidas. Voltou.
(Gustave Flaubert)

para alguém deste nome. Olhou de novo o livro e completou:

– Para Porto Alegre, há reserva para um grupo: o Silveira, o Carlos, o Luiz...

E às vezes não se consegue lugar em hotel. Foi o que aconteceu com certo casal.

Chegaram à cidade tarde da noite. Estavam cansados da viagem; ela, grávida, não se sentia bem. Foram procurar um lugar onde passar a noite. Hotel, hospedaria, qualquer coisa serviria, desde que não fosse muito caro.

Não seria fácil, como eles logo descobriram. No primeiro hotel o gerente, homem de maus modos, foi logo dizendo que não havia lugar. No segundo, o encarregado da portaria olhou com desconfiança o casal e resolveu pedir documentos. O homem disse que não tinha; na pressa da viagem esquecera os documentos.

– E como pretende o senhor conseguir um lugar num hotel, se não tem documentos? – disse o encarregado. – Eu nem sei se o senhor vai pagar a conta ou não!

O viajante não disse nada. Tomou a esposa pelo braço e seguiu adiante. No terceiro hotel também não havia vaga. No quarto – que era mais uma modesta hospedaria – havia, mas o dono desconfiou do casal e resolveu dizer que o estabelecimento estava lotado. Contudo, para não ficar mal, deu uma desculpa:

– O senhor vê, se o governo nos desse incentivos, como dão para os grandes hotéis, eu já teria feito

---

Para que se abalar, se se pode viajar magnificamente sentado numa cadeira? (J. K. Huysmans)

uma reforma aqui. Poderia até receber delegações estrangeiras. Mas até hoje não consegui nada. Se eu conhecesse alguém influente... O senhor não conhece ninguém nas altas esferas?

O viajante hesitou, depois disse que sim, que talvez conhecesse alguém nas altas esferas.

– Pois então – disse o dono da hospedaria – fale para esse seu conhecido da minha hospedaria. Assim, da próxima vez que o senhor vier, talvez já possa lhe dar um quarto de primeira classe, com banho e tudo.

O viajante agradeceu, lamentando apenas que seu problema fosse mais urgente: precisava de um quarto para aquela noite. Foi adiante.

No hotel seguinte, quase tiveram êxito. O gerente estava esperando um casal de conhecidos artistas, que viajavam incógnitos. Quando os viajantes apareceram, pensou que fossem os hóspedes que aguardava e disse que sim, que o quarto já estava pronto. Ainda fez um elogio:

– O disfarce está muito bom.

Que disfarce? perguntou o viajante. Essas roupas velhas que vocês estão usando, disse o gerente. Isso não é disfarce, disse o homem, são as roupas que nós temos. O gerente aí percebeu o engano:

– Sinto muito – desculpou-se. – Eu pensei que tinha um quarto vago, mas parece que já foi ocupado.

O casal foi adiante. No hotel seguinte, também não havia vaga, e o gerente era metido a engraçado. Ali perto havia uma manjedoura, disse, por que não

---

EM BREVE O ORIENTE JÁ NÃO EXISTIRÁ. VI PASSAR HARÉNS INTEIROS EM NAVIOS. (GUSTAVE FLAUBERT)

se hospedavam lá? Não seria muito confortável, mas em compensação não pagariam diária. Para surpresa dele, o viajante achou a ideia boa, e até agradeceu. Saíram.

Não demorou muito, apareceram os três Reis Magos, perguntando por um casal de forasteiros. E foi aí que o gerente começou a achar que talvez tivesse perdido os hóspedes mais importantes já chegados a Belém de Nazaré.

Partir é morrer um pouco. (E. Haraucourt)

I *de Igreja*

Principalmente na Europa, mas em muitos outros países a história está indissoluvelmente ligada a templos. Mesmo as pessoas que não são religiosas, em algum momento, visitarão uma igreja, ou uma mesquita, ou uma sinagoga, ou um templo. E frequentemente será uma visita emocionante. Crença é algo que emociona, mesmo – ou sobretudo – aos descrentes. A crença, mais do que a descrença, moveu a humanidade, e moveu a humanidade a construir, a colocar pedra sobre pedra num esforço de erguer-se acima da planície e chegar lá em cima, lá onde a divindade... Bem.

Há muito que admirar, em termos de arquitetura religiosa. Desde a pequena igreja de aldeia até a, às vezes exagerada, magnificência do barroco, passando pela mística imponência do gótico em Notre Dame. Há a sinagoga portuguesa de Amsterdam,

---

AVIÃO, PARA MIM, É COMO DIETA: BOM PARA OS OUTROS. (JEAN KERR)

com os painéis de jacarandá brasileiro, o sombrio interior iluminado por dezenas de velas; há os templos budistas e o Taj Mahal; há a mesquita de El Aksa, e as igrejas do Aleijadinho e o Bonfim na Bahia e o convento de São Bento no Rio. Às vezes é o templo todo que a gente lembra; às vezes um momento – concerto de órgão em igreja medieval, pode haver coisa mais linda? Às vezes um detalhe: as gárgulas de Notre Dame – o que fazem aqueles lúbricos e melancólicos demônios junto a anjos e santos?

O templo que me vem à memória é pequeno, modesto e não figura em qualquer guia turístico. Cheguei a ele por acaso; eu participava de um seminário no Campus da Universidade de Chapel Hill, em North Carolina. O campus americano em

---

Se é terça-feira, isto deve ser a Bélgica. (Título de filme)

geral fica distante de centros urbanos, mas este era muito distante – tão distante que não dava para ir a um cinema ou um teatro ou mesmo um bar; ficava bem claro que estávamos ali para trabalhar, e só para trabalhar. No domingo, porém, nosso coordenador teve pena de seus seminaristas; conseguiu um micro-ônibus para nos levar – onde? – a um serviço religioso que se realizava a uns trinta quilômetros dali. Todos, incluindo hindus, muçulmanos e ateus, quiseram ir. Qualquer coisa serviria de pretexto para sair um pouco.

Percorremos pitorescas e sinuosas estradas vicinais em meio a fazendas e plantações e por fim chegamos ao lugar, uma pequena igreja metodista no meio do campo. Construção simples, de madeira,

É MAIS FÁCIL ARRANJAR UMA COMPANHIA DE VIAGEM DO QUE SE VER LIVRE DELA. (PEG BRACKEN)

como muitas vezes são os templos americanos. A congregação era composta exclusivamente de negros. Aos poucos eles foram chegando, os homens e os rapazes de terno e gravata, as mulheres com elegantes vestidos e chapéus, as meninas de luvas brancas. Sentaram-se todos, reservando-nos um lugar de honra, bem à frente. O reverendo apresentou-nos, fomos discretamente aplaudidos e o serviço começou. Era um serviço convencional, até o momento em que o coro começou a cantar. Uma extraordinária transformação foi se operando naquelas pessoas. A princípio contidas, elas começaram a cantar também, acompanhando o ritmo com palmas e movimentos do corpo, radiantes, transportadas de êxtase – um êxtase que contagiava a nós, os estrangeiros: logo estávamos cantando e batendo palmas...

No domingo seguinte, o programa era outro, e no terceiro fomos embora, de modo que nunca mais voltei à pequena igreja, da qual ignoro até o nome. Mas sei que se alguma vez estive perto de Deus, do Deus das igrejas, foi naquele momento.

I *de Informações*

Turistas estão sempre pedindo informações. Num inglês macarrônico, num espanhol incompreensível, num alemão arrevesado, querem saber como se vai

---

Viajar para a Europa cria um problema: ninguém quer ouvir você contar a respeito. Os parentes e amigos ficam mortos de inveja. Lamentam não apenas que você tenha ido à Europa, mas que tenha voltado vivo. (Art Buchwald)

a tal lugar, a que horas passa tal condução, onde se pode comprar tal ou qual objeto. Em geral, as pessoas mostram-se compreensivas e dispostas a ajudar; o que mostra que nem tudo está perdido em termos de humanidade. Quando podem. Em Berlim, uma noite, a caminho do teatro perdi-me. Perdi-me completamente, e não tinha a quem perguntar: era uma noite gélida de inverno, não havia viv'alma na rua. Finalmente avisto um cidadão que vem caminhando, encurvado por causa do vento. Corro até ele, esperando que entenda inglês. Nem inglês, nem alemão, nem qualquer outra língua; é – como descubro pelos sinais que me faz, sorrindo pateticamente – um surdo-mudo. Por mímica, mostro-lhe que quero ir ao teatro, e até faço uma pequena encenação. Milagrosamente, ele entende. E me indica o teatro, não longe dali.

Perguntando, turistas podem ser chatos e inconvenientes. E até assustadores. Foi o que eu descobri numa estação do metrô de Miami, um trem que – sem condutor – percorre eficiente e fantasmagoricamente o perímetro central da cidade, uma região que, à noite, costuma ficar deserta.

Quando cheguei à estação, não havia ninguém.

POR QUE VIAJAM AS PESSOAS ERRADAS, E AS PESSOAS CERTAS FICAM EM CASA?
(NOEL COWARD)

Esperei uns bons quinze minutos, e nada: nem trem, nem passageiros, ou candidatos a.

De repente apareceu um nativo. Um homenzinho frágil, de cabelos afro, usando camiseta, calças jeans e uns tênis rasgados. O andar vacilante mostrava que tinha passado por vários bares antes de, finalmente, se decidir a ir para casa. Não parecia a pessoa mais adequada para dar uma informação, mas, não havendo outro jeito, dirigi-me até ele para perguntar se ainda havia trens.

A reação foi extraordinária. O homem me olhou, arregalou os olhos e, sem uma palavra, fugiu, desaparecendo nas sombras da estação. Eu ainda quis correr atrás dele para explicar que era inofensivo, mas nesse momento o trem chegava. Entrei, sentei-me. Por alguma razão, a porta demorou a fechar – e então o homem saiu da escuridão para embarcar também. Aí me viu. Gritou – dessa vez gritou – e fugiu. Nunca mais o vi, mas gostaria de encontrá-lo de novo. Para agradecer-lhe: devemos ser gratos a quem nos permite, ao menos por um instante, assumir o nosso lado assustador.

Às vezes perguntar é que resulta num susto. Numa livraria de Nova York perguntei ao vendedor onde ficava a estação de metrô mais próxima. Ele disse que eu a encontraria logo ao dobrar a esquina.

Foi o que fiz, mas não havia estação alguma. Às vezes as entradas de metrô ficam meio escondidas, mas aquela devia estar escondida demais: percorri o quarteirão várias vezes, sem achá-la. O pior é que

---

Viajar de avião é chato; além disto, as companhias encarregam-se de aterrorizar as pessoas: "em caso de despressurização, uma máscara (...)

estava anoitecendo, fazia um frio terrível e começava a nevar.

Um homem vinha em minha direção. Um homem jovem, usando um gorro e uma velha jaqueta de lã. Dirigi-me a ele, perguntei pela estação de metrô. Sorriu, maligno: a estação de metrô ficava longe, eu teria de caminhar muito até chegar a ela. A informação discrepava tanto da que eu acabara de receber (de um empregado de livraria, uma pessoa, portanto, supostamente culta), que eu não pude deixar de manifestar minha incredulidade.

Pra quê.

Instantaneamente transtornado, o homem pôs-se a gritar: então eu não acreditava nele? Mas quem era eu, um maldito estrangeiro, para não acreditar nele? E agora já era um comício que ele fazia, destinado não só ao eventual interlocutor, mas aos transeuntes em geral, aos norte-americanos, à humanidade:

– Vocês não acreditam em mim! Vocês pensam que eu estou mentindo! Mas um dia eu mostro quem está falando a verdade! Um dia eu mostro!

Não duvidei. Como também não duvidei que, se por acaso ele tivesse uma arma automática, teria imediatamente desencadeado um massacre. Só que não o faria por minha causa. Agradeci e me fui, disposto a empreender a caminhada até a estação de metrô. A dele, claro.

(...) DE OXIGÊNIO CAIRÁ À SUA FRENTE..." QUANDO A GENTE VIAJA DE TREM NÃO HÁ DESSAS COISAS. (JORGE LUIS BORGES)

J *de Jantar*

Para o turista, a grande refeição é o jantar. O café da manhã, mesmo farto, é apressado – há tanta coisa para ver –, o almoço será talvez um hambúrguer, mas o jantar, ah, o jantar é o coroamento do dia. É então que as cadernetas com as dicas são consultadas. E dicas não faltam: todo mundo sabe de algum restaurante fantástico, um lugarzinho desconhecido, onde os preços não são altos e o vinho é extraordinário. E, na volta o viajante certamente vai contar sobre o restaurante fantástico, um lugarzinho

Você já viu uma família que voltou da Europa? Falam e falam, até que você fica cheio de suas experiências marítimas, dos nomes estrangeiros malpronunciados, das suas reminiscências sem importância. (Mark Twain)

desconhecido, onde os preços não são altos e o vinho é extraordinário.

Mas às vezes o melhor lugar para jantar é aquele que não figura em caderneta alguma, em guia de turismo algum. Lembro de uma noite, em Paris, em que estávamos esfomeados e queríamos jantar. Não tínhamos, porém, dica nenhuma (e também não tínhamos muito dinheiro: aquela era a nossa primeira viagem). Entramos então numa *charcuterie*, compramos saladas e pãezinhos e fomos nos sentar na Place des Vosges. Fazia calor, havia muita gente ali – senhores lendo jornal, mães com os filhos – e nós comemos olhando para as belas construções daquele recanto histórico da capital francesa. O nome da *charcuterie* não recordo, mas a praça, sem dúvida, continua lá e pode ser citada como um grande lugar para jantar.

J *de Jerusalém*

As cidades nos falam, nos dizem coisas: Ouro Preto narra histórias de um Brasil que já não existe, São Paulo apregoa as contradições da modernidade brasileira. E as mensagens das cidades ecoam de forma diversa em nós, sensibilizando-nos, maravilhando-nos, ou, ao contrário, deixando-nos indiferentes.

VIAJAR É MUITO BOM, MAS NÃO VIAJAR NÃO É MORRER. UMA VEZ, OLIVEIRA LIMA, QUE ERA HOMEM DE MUITAS VIAGENS, DIZIA QUE SE FÔSSEMOS TOMAR

Uma cidade me marcou, por circunstâncias peculiares. Aliás, ela marca de forma indelével a nossa civilização. *I'm talking about Jerusalem* – o título da peça de Arnold Wesker contém uma afirmação que é definitiva.

Em Jerusalém cada pedra tem história. É uma história que se inicia, há mais de quatro mil anos, nas rochosas colinas da Judeia, lugar que não era dos mais apropriados para uma cidade: está distante do mar, está distante de qualquer grande rio; a região não é rica em minérios e a terra não é apropriada para a agricultura. A importância desta localização era geopolítica: já no segundo milênio antes de Cristo – quando pela primeira vez é mencionada em textos –, Jerusalém estava a meio caminho entre dois impérios, o egípcio ao sul, o assírio ao norte. Os impérios depois mudaram, mas essa imagem de centro, do umbigo do mundo, ficou e adquiriu dimensão mística: um mapa alemão do século dezesseis mostra os três continentes do Velho Mundo – Europa, Ásia e África – convergindo para Jerusalém.

Localização estratégica, pois. E por causa disto, perigosa. Centro do mundo significa centro dos conflitos, cenário de batalhas sangrentas. Por isso era até certo ponto irônica a ideia de Jerusalém como *Ir Shalom,* a cidade da paz. Irônica e equivocada: a origem mais provável do nome é *Yara Salem,* ou seja, "Fundada por Salem", este, um deus local. E que não se revelou um grande protetor: a cidade trocou de mãos várias vezes: egípcios, hicsos, egíp-

---

o(...) (...) VALOR DOS HOMENS PELAS VIAGENS, TERÍAMOS DE CONSIDERAR OS GRUMETES COMO HOMENS FINOS, E UM SÓCRATES, QUE NUNCA SAIU DE SUA CIDADE, UM BOTOCUDO. (JOSÉ LINS DO REGO)

cios novamente, jebuseus. Finalmente os israelitas entraram em cena e assumiram o domínio da região; mas foi somente com o rei David que Jerusalém tornou-se, no começo do décimo século a.C., uma cidade judaica. E foi com Salomão, que o historiador Cecil Roth chamou de "O Rei-Sol judaico", que a cidade adquiriu seu esplendor, do qual o Templo era a expressão maior.

Conquistada e libertada várias vezes, Jerusalém caiu por fim nas mãos do Império Romano. É nessa cidade que Jesus entra em triunfo, saudado pelo povo; lá prega contra os ricos, os poderosos, os hipócritas; lá derruba as mesas dos vendilhões do templo, lá celebra a Santa Ceia, lá é preso, julgado, executado. A Jerusalém "mata os profetas e apedreja os que lhe são enviados", está condenada; do templo "não ficará pedra sob pedra". A profecia não tardou a se cumprir. A rebelião judaica contra Roma foi punida por Tito com ferocidade exemplar; tomada Jerusalém, o templo foi incendiado. O nono dia do mês judaico de Av tornou-se, desde então, uma data de luto.

Mais tarde, Jerusalém foi conquistada pelos árabes, cujo domínio prolongou-se, apesar das várias cruzadas. Templos e santuários mostravam que a cidade era agora sagrada para três religiões, o que criava complicados problemas de convivência. Para os judeus, o principal lugar de veneração era o Muro das Lamentações, resto de um dos grandes muros de arrimo que sustentavam a esplanada do templo de

---

Todos os caminhos levam a Roma, mas cada dia o engarrafamento é pior. (Millôr Fernandes)

Herodes. Molhadas das lágrimas dos peregrinos, as grandes pedras davam um testemunho de um passado que teimava em permanecer vivo. Um passado que nutria o judaísmo disperso. Voltar a Jerusalém era a secreta aspiração de todo judeu.

Todo judeu? Bem, não sei. Sonhava eu, por exemplo, em voltar a Jerusalém? Não recordo os sonhos da infância, mas acho que a lendária cidade neles não aparecia. Judaísmo, para mim, era outra coisa: as histórias contadas por meus pais e por nossos vizinhos do bairro Bom Fim, em Porto Alegre, os *varenikes,* bolinhos, que minha avó fazia, os livros de Scholem Aleichem, escritor judeu-russo, os filmes em ídiche que eu via no cinema *Baltimore,* o colégio, o Círculo Social Israelita, onde fui aos primeiros bailes. Jerusalém? Uma visão longínqua. Em 1948 foi proclamada a independência do Estado de Israel, o que me encheu de orgulho e esperança; mas era no *kibutz* que eu pensava, na célula comunal que correspondia às visões socialistas de minha juventude. Jerusalém? Estava nas mãos dos jordanianos.

Em 1970 viajei pela primeira vez a Israel; ia participar em um curso sobre saúde comunitária em Beer Sheva, no sul. E aí fui, finalmente, a Jerusalém. Três anos antes, a cidade havia sido (mais uma vez!) reconquistada. Cenas de inaudita emoção (que, no entanto, ao "judeu não judeu" Isaac Deutscher causaram desgosto) se tinham registrado; numa delas, captada por um fotógrafo, um jovem soldado, capacete na mão, mirava, arrebatado, o Muro. Mas agora

---

Quem viaja por terras estranhas vê o que quer — e o que não quer.
(Guimarães Rosa)

a euforia terminara; Jerusalém estava incorporada à realidade cotidiana do Estado judeu. Em frente ao Muro, antes confinado numa estreita ruela, agora havia um amplo espaço. E foi ali que a comoção me assaltou. Jerusalém apossou-se de mim instantaneamente, completamente; num segundo eu estava envolto na atmosfera mística da cidade, arrebatado – como (muito guardadas as proporções) foi o profeta Elias arrebatado ao céu num carro de fogo. Não me lembro de ter chorado muitas vezes depois de adulto; quando minha mãe morreu em meus braços... e em algumas outras ocasiões. Mas naquele momento caí num pranto convulso. Por quem chorava eu? Por muitos, chorava eu. Pelos humilhados e perseguidos, pelos subjugados e massacrados, pelos cativos de Roma e pelas vítimas do Holocausto. Mas sobretudo eu chorava por mim mesmo, pelo garotinho do bairro Bom Fim, em Porto Alegre, o garotinho que

---

Quando viajo, sempre levo o meu diário. A gente precisa de alguma coisa sensacional para ler em viagem. (Oscar Wilde)

construía cidades imaginárias no quintal de sua casa. Eu não queria reconstruir Jerusalém; não queria um templo magnífico, não queria sacerdotes sacrificando pombos e cordeiros para aplacar um deus enigmático. Eu queria apaziguar a culpa dentro de mim – eu queria reconciliar-me comigo mesmo, com meus pais, com minha herança judaica que tantas vezes carreguei como uma carga pesada (por que diabos eu tinha de nascer judeu?). A aflição apossava-se de mim; e ela aumentou quando, o crepúsculo caindo sobre a cidade, aves negras surgiram de repente e começaram a voejar sobre os religiosos que, balançando o corpo para diante e para trás, oravam diante do Muro. Aves negras: contando a história de sua depressão, o escritor William Styron fala do terror que se apossou dele quando, ao caminhar pelo campo, avistou um bando de corvos a crocitar sobre sua cabeça. Terror foi o que se apossou de mim; mas então os raios do sol que se punha iluminaram as casas de pedra e – dourada Jerusalém! – uma grande paz desceu sobre mim. Confortado, pude aproximar-me do Muro, agora com a curiosidade de um turista qualquer. Toquei as pedras, que tantos dedos antes de mim haviam tocado, ora com unção, ora com alegria, ora com desespero; e mirei os bilhetes que os crentes, de acordo com uma antiga tradição, introduzem entre elas. São mensagens (agora enviadas até de longe, por fax; há quem as receba e as coloque no lugar devido) que traduzem anseios, preocupações, aflições até. Oh, Deus, faz

---

A DECEPÇÃO DA VIAGEM E A DECEPÇÃO DO AMOR SÃO DECEPÇÕES PARECIDAS. (MARCEL PROUST)

com que não seja câncer; oh, Deus, ajuda o meu filho a tornar-se um bom médico; oh, Deus, dá paz a nossa gente – é isto? São estes os pedidos que as pessoas formulam? Não sei, estou apenas cumprindo meu dever de ficcionista: imaginando.

Mas em Jerusalém a imaginação curva-se perante a História. Aqui Cristo andou. Aqui um soldado romano traçou na parede uma curiosa inscrição. Aqui orou Saladino. No bairro religioso de Mea Shearim somos projetados de volta à Idade Média; ali os ortodoxos ainda usam os trajes tradicionais e lançam olhares hostis para as mulheres que usam vestidos indecentes. No Museu do Livro, olhando os manuscritos do Mar Morto, sentimos a invisível presença dos essênios e de sua pulsão apocalíptica.

Há uma Jerusalém judaica. Há uma Jerusalém árabe, e ela não é só representada pela mesquita de Omar (que apesar do nome não foi construída pelo califa) e pela mesquita de El Aksa; o quarteirão árabe lembra um típico mercado oriental, com sua colorida movimentação. E há uma Jerusalém cristã. A Via Dolorosa. A igreja do Santo Sepulcro. A abadia da Dormição.

Jerusalém é uma encruzilhada histórica. É uma encruzilhada de emoções.

Não viajamos só pelo prazer de ver, mas pelo prazer de contar. (Blaise Pascal)

K *de Kafka*

Há cidades que se traduzem num palácio, num museu, num parque, num rio. Praga traduz-se num nome.

Franz Kafka.

As histórias que Kafka escreveu não têm Praga como cenário, mas só poderiam ter sido concebidas lá. Não na Praga física, obviamente; mas na cidade imaginária que, como o mapa de Borges, superpõe-se perfeitamente ao lugar real, mas dele se dissocia implacavelmente.

Essa dissociação permeia toda a obra do escritor. Diz Günther Anders, em *Kafka: pró e contra*: "Como falava alemão, não se identificava totalmente com os tchecos. Mas, sendo judeu, também não se identificava com os alemães da Boêmia. Funcionário de uma companhia de seguros, não podia ser considerado um burguês. Filho de burguês, não pertencia ao proletariado. Não se sentia integrado à

Viajar não é bem o que diz a Agência Cook. Aquela honrada companhia é, sem saber, uma espécie de agência funerária... Viajar, num sentido profundo, é morrer. (Miguel Torga)

companhia, porque era escritor. Escritor, porém, não se sentia... E, a respeito da família, dizia que vivia nela mais deslocado que um estranho".

Kafka morou em várias residências em Praga. A de seus pais era grande e confortável. Mais interessante, porém – e agora uma atração turística –, é a casa que a protetora irmã, Ottla, para ele alugou em 1916.

Casas de escritores e de gente famosa há muitas, e famosas. A de Goethe, em Frankfurt, por exemplo, ascética mas ampla. Ou a de Trotsky, na Cidade do México, uma verdadeira fortaleza (que, no entanto, não impediu a entrada do homem que o assassinou). Ou a de Louis Pasteur, em Paris. Mas a de Kafka é notável. Fica no número 22 da Alchimistengasse, a Rua dos Alquimistas. O nome da rua é significativo; a casa, mais significativa ainda. Foi construída junto mesmo às muralhas da velha cidade; porém, para não impedir a passagem na estreita ruela medieval, tem largura reduzidíssima, uma "cela monástica", na expressão de seu amigo Max Brod. Nesse quieto lugar, Kafka escreveu muitas de suas histórias.

Não muito distante está o bairro judeu da cidade: o cemitério onde se vê o túmulo do escritor e a velha sinagoga em cuja entrada, diz a lenda, está enterrado o Golem, um gigantesco andróide criado pelo cabalista rabi Judah Loew para defender os judeus de seus inimigos. No inconsciente da cidade, como das pessoas, há muitas, e estranhas, fantasias.

Quem viaja muda de clima, não de caráter. (Homero)

Estivemos em Praga logo depois da fracassada tentativa de abertura do governo Dubcek, conhecida como a Primavera de Praga. Quando lá cheguei, os tanques soviéticos já haviam imposto de novo a ordem estalinista. O clima era fúnebre, as pessoas não falavam e não riam. Depois de três dias, resolvemos partir.

No aeroporto, um soldado revistou cuidadosamente minha mala. Um livro pareceu interessá-lo; e ele folheou-o demoradamente; era um exemplar do Dom Quixote. Finalmente, nos liberou, e eu parti com esta dúvida: teria ele gostado tanto da história de Cervantes? Ou estaria atrás da literatura subversiva, de um *samizdat* que eu poderia estar levando como contrabando?

Nunca esclareci essa questão. Da qual Kafka, estou certo, gostaria muito.

UM TURISTA É UM SUJEITO QUE VIAJA MILHARES DE QUILÔMETROS PARA SER FOTOGRAFADO NA FRENTE DE SEU AUTOMÓVEL. (EMILE GANEST)

L *de Livrarias*

Há os que gostam de lojas, há os que gostam de *delicatessen*, há os que gostam de livros.

Visitar livrarias, na Europa e nos Estados Unidos, mas também em Buenos Aires, envolve êxtase e terror. O êxtase resulta da quantidade de livros. O terror resulta da quantidade de livros.

Paradoxo? Não. Livrarias, ao contrário de museus, não são estabelecimentos em que só se vai para olhar. Em livrarias se compra. E no livro aliam-se o peso metafórico da cultura e o peso real de um objeto. Um livro pesa. Dois livros pesam mais. Três livros, mais ainda. Uma mala cheia de livros é intransportável.

E, para alguns, objeto arcaico. Quem precisa de livros, nesta época de CD-ROM? E mesmo que alguns poucos livros sejam necessários, por que não mandá-los pelo correio? O verdadeiro bibliófilo responderá

QUEM VIU UMA MONTANHA, VIU TODAS AS MONTANHAS; QUEM VIU UM RIO, VIU TODOS OS RIOS; QUEM VIU UM MAR, VIU TODOS OS MARES. (SÓCRATES)

a essa pergunta com um sorriso de amarga, porém desafiadora, melancolia. Ele quer livros, não telas de monitores; e ele quer carregar os seus próprios livros, porque não admite separar-se deles. Então vai às livrarias, compra e leva.

Que tipo de livrarias? Há muitas formas de classificá-las. As grandes e as pequenas, as sofisticadas e as populares, as isoladas e as que são parte de cadeias, isso sem falar nos livreiros de rua, dos quais os *bouquinistes* de Paris são um exemplo clássico. Uma classificação interessante é a do *Livro Guiness de Recordes,* que usa a milhagem. Milhagem das prateleiras, isto é. Assim, a Foyles, de Londres, tem 30 milhas de prateleiras (uma milha = 1.609 metros). A Barnes & Nobles, na Quinta Avenida com a Rua 18, em Nova York, é menor: 12,87 milhas.

Para um automóvel, estas cifras são brincadeira. Mas um bibliófilo anda muito devagar (e o custo do quilômetro rodado – do quilômetro, não, do metro – é imenso). Podemos calcular cerca de 60 livros por metro. Vamos dizer que, destes, só uns seis sejam interessantes, e que sejam gastos 10 minutos em folhear cada um deles – estimativas modestas. Teremos assim uma hora por metro. Para os mais de 48.000 metros da Foyles...

Mas a Foyles e a Barnes & Noble são lugares agradáveis. O verdadeiro pavor existencial a gente experimenta na Strand, no Village. São oito milhas de prateleiras, o que não chega, como se viu, a constituir recorde – mas o lugar! Deus, o lugar! É um antigo e

---

SEMPRE COMEÇO UMA VIAGEM NO DOMINGO. ASSIM APROVEITO A BÊNÇÃO DA IGREJA PARA ME PROTEGER. (JONATHAN SWIFT)

cavernoso estabelecimento que trabalha sobretudo com livros usados. Os preços são muito razoáveis, e as preciosidades espreitam de todos os cantos, mas entrar ali equivale ao suplício de Tântalo.

(Tântalo: filho de Zeus, ele cometeu vários crimes – por exemplo, roubou o cachorro predileto do próprio pai. Por causa disso, foi castigado. Ficava o tempo todo mergulhado em água, com ramos de frutos sobre a cabeça. Cada vez que tentava abocanhá-los, os malvados escapavam. Essa referência está no *Dictionary of Classical, Biblical & Literary Allusions* que eu comprei – adivinhem – na Strand.)

Ao entrar na Strand, deve-se, como dizia a inscrição na porta do inferno de Dante, deixar fora qualquer esperança (ah, sim, e também bolsas e sacolas: os ladrões de livros são uma espécie conhecida, e temida, em qualquer livraria). Não se pode contar com qualquer recomendação ou indicação, que aliás seria impossível; os rapazes que ali atendem – e é uma fauna interessante, com representantes das várias tribos que circulam no Village – fazem o trabalho braçal de transportar livros e cobram no caixa. Da primeira

Não viajo para chegar a algum lugar. Viajo para viajar. (Robert Louis Stevenson)

vez que fui à livraria, tinha uma lista, modesta, de obras que pretendia levar. Dirigi-me a um dos jovens e li o primeiro título. Olhou-me, espantado:

– O que é isso?

– É um livro – respondi. – Eu queria este livro.

Arregalou os olhos e começou a rir. Ria sem parar, cutucava os colegas, apontando-me: ele quer um livro! Imaginem só, ele quer um livro!

Só depois me dei conta de que localizar um específico livro ali era uma missão impossível. As prateleiras vão até o teto, altíssimo; para enxergar os títulos das obras lá em cima, só de binóculo. E essa é apenas uma das dificuldades. Bem-humorado, o rapaz explicou que aquela era uma livraria para descobrir coisas; eu não acharia os livros que queria, mas outros livros me achariam. E seria bom eu levar um cesto, como esses de supermercado.

Não deu outra. Já na primeira seção, literatura, eu estava com o cesto cheio. E me dei conta: a Strand era exatamente como aquela outra caverna, a de Aladim, cheia de preciosidades.

Tenho voltado à Strand. Sempre apreensivo. Assim como estou cônscio de minha finitude, de minha fraqueza mortal, conheço a força dos livros, especialmente quando estão entrincheirados em oito milhas de prateleiras. Um dia eles me derrotarão.

Esses tempos vi um filme de terror. O assassino perseguia sua vítima numa livraria. Qual? A Strand, claro. Entendi perfeitamente a escolha desse cenário.

Viagens são excitantes só quando lembradas. (Paul Theroux)

M de Museus

Qualquer roteiro turístico, em qualquer cidade, incluirá forçosamente um museu. E há boas razões para isso: afinal, os museus são os depositários da ciência e da cultura, são a porta de entrada para os valores das civilizações, etc. Tudo certo, ainda que muitas vezes as civilizações não tenham sido consultadas a respeito da remoção de seus valores: as frisas do Partenon foram levadas para a Inglaterra numa época em que as potências imperiais mandavam no mundo. Hoje as coisas são diferentes; a última coisa que os governos querem é ser acusados de permitir a entrada ilegal de objetos de arte. Um senhor que conheço comprou em Lima, por alguns centavos, uma reprodução artesanal da estatueta de um deus qualquer. Jamais imaginava o que iria lhe acontecer quando, prosseguindo a viagem, chegou a Los Angeles; inspecionando-lhe a bagagem, o pessoal da alfândega deu com a estatueta – e pronto,

---

Viagens não alargam a mente. Prolongam a conversa. (Elizabeth Drew)

estava criada a confusão. O inspetor disse que não permitiria a entrada do objeto nos Estados Unidos. Razão: podia ser arte pré-colombiana contrabandeada. O turista contou que a tinha comprado na rua, por uma quantia insignificante, mas os zelosos funcionários não se abalaram: na ausência de um documento que comprovasse não se tratar a peça de arte pré-colombiana, não a deixariam passar.

Outro talvez desistisse nesse ponto, mas para o nosso viajante a disputa tinha se tornado questão de honra. Exigiu a presença do responsável pela aduana. O homem veio, olhou a estatueta e concordou com seus colaboradores: aquilo podia ser arte pré-colombiana. A discussão ficou acalorada, e o superintendente resolveu telefonar para a universidade,

---

Quanto mais longo o cruzeiro, mais idosos os passageiros. (Peg Bracken)

pedindo a presença de uma perita em antiguidades. Uma hora depois apareceu a senhora, trazendo lentes e manuais. Examinou cuidadosamente o objeto e deu seu veredito: podia ou não ser arte précolombiana. A estatueta foi apreendida e o homem, ainda que furioso, teve de se conformar com um recibo, e a promessa de que receberia o objeto de volta, caso não se confirmasse a suspeita. De fato, meses depois, já de volta ao Brasil, o correio entregou-lhe uma caixa: era a estatueta, acompanhada de uma carta do chefe da alfândega informando que – graças aos céus! – não era arte pré-colombiana. O homem ficou muito satisfeito, mas, ao tirar a estatueta da caixa, ela caiu ao chão e, como qualquer peça de cerâmica, pré-colombiana ou não, quebrou-se. Com o que a história finalmente terminou.

Mas as verdadeiras estatuetas pré-colombianas estão em museus, como o notável Museu de Antropologia da Cidade do México. Esse é um museu especializado; há outros, de ciência, de cinema. E há os museus gerais. Mas essa classificação só serve para ocultar o fato de que na realidade os museus só se dividem em duas categorias: os amistosos e os inamistosos.

Os inamistosos são grandes. Como as superpotências, esmagam-nos pelo seu tamanho: o Museu Britânico tem um milhão de peças no acervo. Quanto tempo dá para dedicar a cada uma delas? Um minuto, um segundo, um décimo de segundo? A gente não visita esses museus; a gente os ataca. É um ataque

---

"Navigare necesse est, vivere non est necesse." Navegar é preciso, viver não é preciso. (Provérbio)

desesperado, que pode se revelar suicida, a menos que uma cuidadosa estratégia seja elaborada antes. O território inimigo tem de ser estudado; essa tarefa é facilitada pelo fato de que tais museus em geral têm um catálogo com a descrição das obras e plantas baixas dos seus diversos pavimentos. O problema é que ler este catálogo toma todo o tempo destinado à viagem em geral.

Sem chegar ao extremo daquele americano que estacionava em frente ao Louvre, entrava correndo e perguntava ao porteiro, rápido, onde é a Mona Lisa, estou em fila dupla, pode-se recorrer a algumas táticas. Por exemplo: olhar só a exibição especial. Por exemplo: aderir a uma visita guiada. Por exemplo: fazer um *break* na cafeteria. As cafeterias de museus são excelentes lugares para se comer, sobretudo aquelas frequentadas por velhinhas elegantes e decoradas com reproduções de quadros.

Mas o melhor mesmo são os museus amáveis. O Prado, em Madrid. O MASP, em São Paulo. O Museum of Modern Art em Nova York. O acervo pode até ser grande, mas não é esmagador. Ninguém sai dali exausto, odiando Picasso ou Rembrandt. Como não se sai exausto de pequenos museus, que, sem reunir o que há de melhor na arte (e até recorrendo ao *kitsch)*, encantam pelo inusitado, como é o caso do Museu da Música Mecânica, em Paris: evoca uma época em que o fascínio pela máquina (e pela geringonça) chegou à arte. A época do piano mecânico.

O GRANDE OBJETIVO DA VIAGEM NÃO É VER TERRAS ESTRANHAS; É VER A NOSSA PRÓPRIA TERRA COMO TERRA ESTRANHA. (G. K. CHESTERTON)

Antes de sair de qualquer museu é preciso passar pela livraria. Ali vamos comprar postais e livros com reproduções. Mais tarde, em nossas casas, folheando esses livros, vamos descobrir a beleza dos quadros e das esculturas que a ansiedade da visita nos impediu de olhar. Como dizia aquela avó coruja cuja vizinha elogiava a beleza da netinha que ela levava para passear: isso não é nada, você ainda não viu a foto.

Quando se conclui que a vida é inútil, apela-se ou para o suicídio ou para as viagens. (Edward Dahlberg)

N *de Neve*

Na última cena de *Bye, Bye, Brasil,* de repente começa a nevar, para espanto – e deslumbramento – de José Wilker e Betty Faria.

Brasileiro sonha com neve. É um sonho que faz milhares de paulistas, cariocas e nordestinos viajarem a Gramado, ou a Bariloche, ou à Europa, para ver a paisagem nevada.

E a neve é bonita, mesmo. Para quem a vê de vez em quando. Os moradores dos países frios queixam-se amargamente das nevascas, que transtornam a vida das pessoas, dificultando o tráfego, causando problemas

Não gosto de me sentir em casa se estou no exterior. (George Bernard Shaw)

nas comunicações. A neve tem de ser removida da frente das casas, das estradas e, por lei, até do teto dos automóveis: a neve que voa com o vento dificulta a visão do motorista que vem atrás.

Mas não é só a neve o problema do inverno. É a falta de sol também. Aqueles dias cinzentos, lúgubres; muito bom para quem gosta de ler e meditar – é por isso que há tanto filósofo em países frios –, mas uma causa de constante depressão. Por outro lado, o antropólogo Lionel Tiger atribui o surgimento de sociedades industriais em regiões frias à necessidade de responder à baixa temperatura com a acumulação de alimento e a produção de energia. Em suma: depressão e trabalho. Um binômio que nem sempre satisfaz as pessoas. Muitos americanos trocariam de olhos fechados o clima deles pelo nosso (se trocariam também o país é outra questão). É bom ficar aqui no sol. E ver neve só de vez em quando.

Quando se viaja demais, fica-se um estranho no próprio país. (René Descartes)

O *de Oportunidade*

Viagem é sinônimo de oportunidade: a oportunidade de fazer coisas que a gente habitualmente não faz.

Pedir esmolas, por exemplo. Quando é que um cidadão de classe média, bem vestido e bem alimentado, pediria esmola? Mas isso é uma coisa que pode ser feita no exterior, onde ninguém nos conhece. Tenho um amigo que dedica pelo menos uma manhã ou uma tarde de suas viagens a isto, a pedir esmola no metrô ou numa estação ferroviária. Em países subdesenvolvidos, onde os mendigos são frequentemente pessoas apresentáveis e bem falantes, ele não chega a causar espanto.

Nunca tentei pedir esmola. Mas cheguei perto. Uma vez, embarcando no aeroporto de Nova York de volta para o Brasil, resolvi comprar o *New York Times*. É uma coisa que não se deve fazer, aliás: comprar o jornal no dia de ir embora. Imediatamente

---

"IL FAUT ÊTRE TOUJOURS BOTTÉ ET PRÊT À PARTIR." É PRECISO ESTAR SEMPRE DE BOTAS E PRONTO A PARTIR. (MICHEL DE MONTAIGNE)

se descobre que as melhores peças, os melhores shows, os melhores concertos, as melhores exposições, tudo, enfim, começa justamente no dia do nosso embarque.

Além desse problema, havia outro: eu quis pagar o jornal com um cheque de viagem, o homem da banca não aceitou. E o trocado que eu tinha não chegava. Faltavam dez centavos de dólar. Um *dime*. O que me deu uma ideia.

Na época da Depressão americana, 1929, o *dime* tornou-se um símbolo. Desempregados – que incluíam até antigos desempregados – vagavam pelas ruas, abordando transeuntes de aparência mais próspera, com uma desolada pergunta: *Can you spare a dime?* Disposto a repetir, de maneira mais bem-humorada, esse pedido, dirigi-me a um senhor que, pela idade, deveria lembrar 1929:

– *Can you spare a dime?*

O homem me olhou, surpreso. E não entendeu: pensando que eu falava em *time,* consultou o relógio, informou-me as horas. Meio decepcionado com sua

---

O VIAJANTE VÊ A FRANÇA CORRENDO POR SUAS ESTRADAS NUM CARRO FECHADO, HOSPEDANDO-SE EM HOTÉIS ESTILO AMERICANO, FALANDO COM GARÇONS (...)

constrangedora falta de conhecimento sobre o clima emocional da Depressão, repeti o pedido, dessa vez com um tom certamente irritado.

A reação do cidadão foi surpreendente. Imaginando sem dúvida que estava sendo assaltado, meteu a mão no bolso, entregou-me um punhado de moedas – e fugiu. Não pude sequer lhe dar o troco.

Há muitas outras coisas que podemos fazer num lugar em que ninguém nos conhece. Andar de montanha-russa, por exemplo, uma experiência que a mim, como a muitos adultos, sempre causou certo receio. Mas uma vez, na Disneylândia, resolvi experimentar. Eu estava sozinho, e se desse vexame não tinha importância.

Embarquei, pois, num vagonete em que já estavam três garotos, todos menores de dez anos, e partimos para a nossa odisseia espacial.

Confesso: gritei. Gritei como poucas vezes o fiz em minha vida. Era um pesadelo, aquilo, o vagonete subindo e descendo, sumindo nas entranhas de uma montanha artificial, emergindo de novo. Finalmente chegamos, e ali estava o pai dos garotos esperando os filhos. Perguntou-lhes que tal tinha sido o passeio. Muito bom, disse um dos meninos. E logo em seguida, apontando-me um dedo acusador:

– Mas esse homem grita demais.

(...) EM INGLÊS, JOGANDO BRIDGE COM SEUS COMPATRIOTAS, ASSISTINDO A FILMES AMERICANOS E LENDO JORNAIS EM INGLÊS. (STEPHEN LEACOCK)

P de Perder-se

Achar-se numa cidade é fácil, escreveu Walter Benjamin, o difícil é perder-se nela. E ele sabia o que estava dizendo: não há problema em tomar uma condução e seguir para um lugar predeterminado, um restaurante, um teatro, um museu, um parque. Mas vaguear sem destino requer um aprendizado. Walter Benjamin, que foi o mais famoso *flâneur* de todos os tempos, mostrou, em textos imortais, que há arte em perder-se.

O turista comum não é um artista; perder-se é para ele uma situação aflitiva, sobretudo se está num lugar onde não fala a língua e no qual não entende o que está escrito nas placas e letreiros. Só uma vez em minha vida tive a sensação de ser um analfabeto, e mais que isto, um ignorante: foi em Kioto. Em Tóquio há muitos letreiros em inglês, o que dá ao visitante alguma sensação de familiaridade; mas em

---

Viagem é o paraíso do tolo. Depois das primeiras jornadas, descobrimos que lugares não significam nada. (Ralph Waldo Emerson)

Kioto, cidade tradicional, nem mesmo esse consolo existe (ou não existia, quando estive lá).

Em Kioto, perdi-me. Queria visitar um templo, mas não tinha a menor ideia de como chegar lá. Com aquela característica sem-cerimônia do turista, abordei várias pessoas na rua – mas não conseguia me fazer entender. Finalmente, encontrei um homem que falava, com muita dificuldade, inglês. Ele apontou-me uma direção e fui caminhando. Dez minutos depois, ouço alguém gritar: *Mistake! Mistake!* Era o homem, que corria atrás de mim, esbaforido. Tinha se enganado e, com o risco de perder o trabalho ou de chegar tarde a um compromisso, procurava redimir-se de seu erro.

Mas eu sabia onde queria chegar. E quando a gente não sabe?

Em Atenas, minha mulher e eu hospedamo-nos num pequeno hotel próximo ao terminal da Olympic Airways, com a qual tínhamos chegado à cidade. Depois de instalados, fomos conhecer o berço da civilização ocidental. Partenon, museus, Plaka, etc. – já era noite quando

A BAGAGEM MAIS PESADA É A CARTEIRA VAZIA. (PROVÉRBIO INGLÊS)

resolvemos voltar. E aí o susto: tínhamos extraviado o cartão do hotel.

Mas não seria problema: precisávamos apenas ir ao terminal da Olympic. Ali nos localizaríamos.

Tomamos um táxi e tentamos nos comunicar com o motorista. Inútil: tudo o que ele dizia era grego para nós. Mas quando falamos em Olympic, o seu rosto iluminou-se: Olympic, Olympic, ele repetia, com ar de quem era acionista da companhia aérea. Ligou o carro e partimos. Andamos, andamos, e não chegávamos. Pior que isto, a cidade começou a ficar para trás: mesmo um estrangeiro sabe diferenciar o centro de um subúrbio. E então nos demos conta: o homem estava nos levando não para o terminal, mas para o aeroporto propriamente dito.

Não há trem que eu não tomaria/ Não importa o lugar para onde vá.
(Edna St. Vincent Milay)

Constatar o erro não foi difícil – mas quem disse que conseguíamos convencer o motorista a parar o carro? Suplicávamos em várias línguas que detivesse o veículo, mas ele ria e repetia, satisfeito, Olympic, Olympic. Finalmente, porém, deu-se conta de que a palavra mágica já não resolveria o problema. Estacionou junto a um bar e descemos todos para a tradicional caçada ao intérprete. Como sempre, um empreendimento difícil: talvez existissem ali descendentes de Ulisses, ou de Hércules, ou mesmo de Zeus, mas nem todos os deuses do Olimpo fariam o milagre de estabelecer um canal de comunicação entre nós. Nisso entrou um rapaz e, este sim, falava inglês; explicou ao motorista onde queríamos ir. Muitos minutos e muitos dracmas depois chegávamos ao destino. Walter Benjamin teria sua tarefa grandemente facilitada se se hospedasse em Atenas, junto ao terminal da Olympic Airways, e perdesse o cartão do hotel.

P *de Prisão*

A Bastilha desapareceu, mas ainda existem muitas prisões dignas de uma visita. A mais famosa, por causa do cinema, e porque fica nos Estados Unidos, é Alcatraz. Todo roteiro turístico a San Francisco inclui uma visita ao antigo presídio.

Dois lugares mostram de maneira paradig-

Viajar faz com que a realidade regule a imaginação. (Samuel Johnson)

mática os paradoxos da história americana. Duas ilhas. Ellis Island e Alcatraz. Uma na costa leste, outra na costa oeste: milhares de quilômetros separam-nas, e não apenas geograficamente, mas também simbolicamente. Foi através da costa leste que os europeus chegaram à América, deixando para trás um Velho Mundo convulsionado e trazendo a esperança de um futuro melhor: primeiro os puritanos, depois os refugiados da Europa Central e Oriental. Para esses, Ellis Island era o "Portal do Paraíso" – aliás, é irônico que o belo filme de Michael Cimino, que tem este nome, constitua-se no maior fracasso de bilheteria da história do cinema americano. A Estátua da Liberdade ali estava para dar as boas-vindas aos recém-chegados. "Dá-me os teus pobres", diziam os versos de Emma Lazarus, gravados em bronze no pedestal da estátua, e esse pedido generoso sintetizava o otimismo americano. É verdade que os emigrantes tinham de ficar dias, e até semanas, em Ellis Island; é verdade que muitos eram mandados de volta, por razões que iam desde doenças até suspeitas políticas; mas uma vez que pisavam terra firme, tinham diante de si, teoricamente – todas as oportunidades. E Nova York, a metrópole de nosso mundo, o exemplificava, com sua extraordinária concentração de riqueza.

Riqueza que às vezes resulta do trabalho e do talento – e às vezes não. Thomas Alva Edison, que patenteou milhares de inventos e enriqueceu com vários deles (o fonógrafo, entre outros), é um

---

COMO TODOS OS GRANDES VIAJANTES, VI MAIS DO QUE LEMBRO E LEMBRO MAIS DO QUE VI. (BENJAMIN DISRAELI)

exemplo do primeiro caso; os "barões ladrões" das ferrovias, um exemplo do segundo. O crime muitas vezes representava o meio de ascensão social, sobretudo para filhos de emigrantes. O crime aumenta muito em épocas de crise econômica. Foi assim que, com a Depressão de 1929, o banditismo tornou-se um meio de vida. O governo americano resolveu então construir uma penitenciária de segurança máxima, uma prisão que servisse de advertência aos criminosos. Alcatraz foi o lugar escolhido. Ali funcionara primeiro uma fortaleza, depois, uma prisão militar. A localização era excelente: a ilha não fica muito distante da costa, mas as fortes correntes e a água gelada tornam praticamente impossível qualquer fuga por mar (uma lenda sobre a presença de tubarões foi convenientemente espalhada). E, de fato, houve apenas quatorze tentativas de fuga, todas frustradas. Em 1962, três prisioneiros conseguiram evadir-se, mas nunca mais foram vistos – presume-se que se tenham afogado na baía. Enquanto isso, a penitenciária ia acumulando um apreciável registro de prisioneiros famosos, como Al Capone, George "Machine Gun" Kelly e Robert Stroud, o "Homem dos Pássaros" (um estudioso da vida das aves, sobre quem foi feito um filme muito interessante, com Burt Lancaster).

Os *outsiders,* os que vinham de fora, entravam na vida americana pelo leste, pelo lado em que o sol nasce, o lado do tumultuoso Atlântico; e, se não se comportavam bem, saíam pelo oeste, pelo

---

Viagem ao redor do meu quarto. (Xavier de Maistre – título de livro)

gélido Pacífico, o oceano que coloca a América em contato com o enigmático Oriente. De Alcatraz, os condenados – e isso provavelmente lhes aumentava o sofrimento – podiam ver San Francisco, uma cidade bonita e, quando não ameaçada pelos terremotos, alegre. Alegre e bizarra, como é a Califórnia. O puritanismo e a altivez ficaram no leste, olhando para a Inglaterra; Boston é disso um bom exemplo. O não convencional foi para a Califórnia, terra do ouro, das mil oportunidades. O cinema lá se desenvolveu não só por causa das melhores condições climáticas, mas também porque ninguém perguntava aos pioneiros da indústria cinematográfica, os Goldwin, os Warner, os Cohn, por sua árvore genealógica, que era, no melhor dos casos, um arbusto. A eles Alcatraz não incomodava.

Alcatraz era a expressão máxima da filosofia repressiva no sistema penal. Nas células minúsculas, individuais, os prisioneiros passavam a maior parte de suas vidas. Não havia porta, só grades; as necessidades fisiológicas eram feitas à vista dos guardas e dos outros presos. Para os rebeldes havia a solitária. O guia que conduzia o nosso grupo perguntou se eu gostaria de ficar um minuto, e não mais que um minuto, ali dentro. Não me lembro de outro minuto mais longo em mi-

---

Pense: é a sua viagem realmente necessária? (Slogan inglês da Segunda Guerra)

nha vida. Tão logo a porta se fecha, a escuridão torna-se absoluta: não se vê nada, não se ouve nada, e por causa do efeito anestésico do frio não se sente nada: completa privação sensorial – algo enlouquecedor – e no entanto alguns prisioneiros passavam ali até 19 dias. Um deles contou que, para não perder o juízo, inventou um jogo que consistia em atirar para o alto um botão arrancado da roupa e tentar depois encontrá-lo. Fico imaginando o que aconteceria a esse homem se *não* encontrasse o botão.

Em 1963, Alcatraz foi finalmente fechada, em parte por

O MUNDO É UM LIVRO. QUEM NÃO VIAJA SÓ LÊ UMA PÁGINA. (SANTO AGOSTINHO)

causa dos protestos, em parte por causa dos altos custos. De 1969 a 1971, a antiga prisão foi ocupada por índios americanos, que tentaram estabelecer ali uma espécie de república. Não conseguiram, mas o evento tornou-se um símbolo dos novos, e estranhos, ventos que sopravam na vida americana. Hoje, Alcatraz faz parte de um complexo turístico que ocupa o Fishermen's Wharf, o antigo cais dos pescadores em San Francisco. As pessoas que visitam a prisão vão também ao museu Acredite se Quiser, onde há um retrato do homem que tinha quatro pupilas nos olhos, e ao Museu Guiness de Recordes, onde há uma foto do homem mais alto do mundo (um americano) e uma estátua do homem mais gordo do mundo (idem). As crianças adoram, e os adultos – bem, os adultos também.

Àqueles que perguntam a razão de minhas viagens, respondo: sei que vou, não sei o que procuro. (Michel de Montaigne)

Q de Quando

Quando viajar?

Essa é uma pergunta que as pessoas que pretendem viajar frequentemente se fazem (algumas pessoas, bem entendido; para a maioria de nossa gente a questão é outra, a questão é o que comer).

Quem passa as férias na praia já tem a resposta. Mas quem viaja para o exterior, e pode escolher, fica em dúvida. O verão tem vantagens: os dias são mais longos, faz calor, não é preciso levar tanta roupa. No inverno as passagens de avião são mais baratas e há lugar nos hotéis; também é a época indicada para quem gosta de neve (ver "N de Neve").

Uma bela época do ano, na Europa e nos Estados Unidos, é o outono. Sobretudo por causa das cores, uma arrebatadora sinfonia de vermelhos, alaranjados e amarelos. Espetáculo proporcionado, a custo zero, pela natureza: são as folhas que mudam de cor antes de cair (quando então precisam ser

---

Viajo leve. Só levo o meu corpo por causa do valor sentimental.
(Christopher Fry)

varridas, o que para os nativos é um saco. Vários sacos: há folha que não acaba mais).

E quando viajar – na vida?

Para os jovens, há muitas oportunidades de viajar pelo exterior de forma barata. Mas os mais velhos não podem dormir em albergues ou em estações de trem. Há pessoas que passam a vida juntando um dinheiro para enfim realizar o sonho da viagem.

Conheci um homem assim. Modesto funcionário, tinha um único sonho: conhecer a Itália, pátria de seus pais. Economizou anos, até que por fim pôde comprar a passagem. Tirou férias – trinta dias, nem um a mais, advertiu o chefe – e foi. Na véspera da viagem, sentia-se tonto, um pouco nauseado; mas não deu importância ao fato. É da emoção, pensou.

Não era. Já no voo estava com febre alta; e em Roma, levaram-no diretamente para o hospital, onde deveria ficar em isolamento rigoroso.

As autoridades italianas temiam que fosse portador de uma dessas misteriosas doenças tropicais, capazes de se espalhar pela Europa inteira. Ele, tudo o que queria era melhorar, para poder fazer os passeios que com tanta ansiedade tinha planejado.

Mas não melhorava. Os dias se escoavam ali monotonamente; tudo o que ele estava vendo de Roma, da Itália, da Europa, eram as paredes do quarto, de um branco asséptico. Nem mesmo uma vista tinha de sua janela, que dava para um feio edifício de apartamentos. Na parede, e era a única coisa que

---

O VIAJANTE VÊ O QUE VÊ, O TURISTA VÊ O QUE VEIO VER. (G. K. CHESTERTON)

quebrava a severidade do aposento, um quadrinho: uma vista das colinas da Cidade Eterna.

Aos poucos foi melhorando. No trigésimo dia pediu para voltar ao Brasil. Não estava ainda completamente bom, mas também não podia ficar mais: as férias tinham terminado. Levaram-no numa ambulância fechada ao aeroporto. Antes de embarcar, ele fez uma solene promessa: ainda voltaria a Roma.

O tempo passou, e ele não mais conseguiu juntar dinheiro para a viagem. Aposentou-se e, com a magra pensão, foi morar num hotel para velhos. Vou lhe dar meu melhor quarto, disse a dona. Abriu a porta e o homem teve um choque.

Era o quarto, o mesmo quarto do hospital de Roma: as brancas paredes assépticas, a janela dando para um feio edifício de apartamentos. Até mesmo o quadrinho estava ali, o quadrinho com a vista das colinas de Roma.

Num impulso, ele estendeu os braços para a dona do hotel:

– Posso abraçá-la?

Sem saber o que responder, ela se deixou abraçar. Surpresa,

VIAGEM: DEVE SER FEITA RAPIDAMENTE. (GUSTAVE FLAUBERT)

naturalmente. Não podia saber que, naquele momento, o hóspede estava realizando o sonho de sua vida: até que enfim voltava a Roma.

A VIAGEM PODE SER UMA DAS MAIS COMPENSADORAS FORMAS DE INTROSPECÇÃO.
(LAWRENCE DURRELL)

R *de Roteiro Turístico*

Quando for feito o levantamento da literatura do século vinte, um lugar especial deverá ser reservado ao roteiro turístico. Essa peça redacional propõe-se a descrever, com algo de imaginação, a viagem maravilhosa que o turista fará. Adjetivos como "deslumbrante, maravilhoso" figuram frequentemente, mas o verdadeiro estado de espírito dos organizadores só aparece na última linha, que diz: "Fim de nossos serviços". Fim de nossos serviços: alívio. Não mais cavalheiros reclamando do quarto de hotel, não mais senhoras queixando-se de cansaço. Fim de nossos serviços.

UMA BELA VIAGEM É UMA OBRA DE ARTE. (ANDRÉ SUARÈS)

De qualquer modo, o roteiro turístico consagra um estilo. Que pode se aplicar a outras situações: passagens bíblicas, por exemplo. Se Moisés fosse agente de viagens, o Êxodo seria anunciado assim:

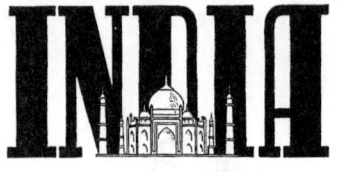

"Senhoras e senhores, bem-vindos ao mais sensacional passeio turístico dos tempos bíblicos. Partiremos, como todos sabem, das belas terras do Egito. Todos devem se apresentar na hora marcada. A partida talvez demore um pouco, porque as autoridades alfandegárias e o próprio faraó não têm muita vontade de deixar o povo sair. Mas várias pragas já foram providenciadas, de modo que a saída do país está assegurada. Sendo esta uma excursão de tarifas econômicas, viajaremos a pé, mas desfrutando a cada momento a deslumbrante paisagem do deserto. O detalhe mais sensacional é que seremos guiados por uma nuvem, de dia, e uma coluna de fogo, à noite: espetáculo fantástico. Não diremos o nome do patrocinador, mas podemos assegurar que é muito poderoso.

COM O TEMPO, A PAIXÃO PELAS VIAGENS EXTINGUE-SE. (GÉRARD DE NERVAL)

"Nosso trajeto nos levará às praias do Mar Vermelho. Não há hotéis ali, mas isso não tem importância, porque não nos deteremos: atravessaremos o mar. Não se trata de um cruzeiro marítimo convencional: as águas se abrirão a nossa passagem! Atração única dessa viagem! De novo: não podemos dizer o nome do responsável, mas, creiam, não se trata de um mágico qualquer.

"Após a travessia, será servida uma refeição. Trata-se de maná, um prato especialmente preparado para os nossos viajantes. O nome do cozinheiro terá de ser mantido em segredo, mas podem os nossos caros excursionistas acreditar tratar-se de um manjar verdadeiramente divino.

"Ao cabo de algum tempo – a viagem, como sabem, é longa – chegaremos ao monte Sinai, onde serão mostradas as Tábuas da Lei. Para aqueles que quiserem ler as inscrições, recomenda-se que tomem lugar o mais próximo possível

HÁ TURISTAS INCAPAZES DE OLHAR UMA OBRA DE ARTE PELO SEU VALOR INTRÍNSECO. ELES SACAM A CÂMERA, CAPTURAM A EXPERIÊNCIA QUE NUNCA TIVERAM, VOLTAM, MANDAM REVELAR O FILME PARA DESCOBRIR O QUE VIRAM. (NED ROREM)

do sopé, de vez que as letras não são facilmente legíveis. Mesmo os que ficarem mais longe não deixarão, contudo, de se comover com essa bela demonstração de confiança na ética.

"A essa altura é possível que muitos participantes sejam convidados para a festa do Bezerro de Ouro. Os que a ela comparecerem, farão por sua conta e risco, já que os organizadores desaprovam fortemente essa atividade pagã, que ademais deve ser paga em metal precioso.

"Finalmente, e quando alguns dos senhores talvez já estejam pensando em desistir, chegaremos à Terra Prometida, onde não faltará leite nem mel. O dia será livre para passeios. Recomendamos cuidado com os terroristas. Ocupem suas tendas – e divirtam-se. Fim de nossos serviços."

Vale a pena ver? Sim. Mas não vale a pena ir ver. (Samuel Johnson)

R *de Roupas*

Roupa é uma coisa que turista gosta de comprar. No momento, há um argumento poderoso a favor: com o dólar desvalorizado, os preços são mais que convidativos. Há quem vá a Nova York para fazer o guarda-roupa.

A outra razão: as roupas são diferentes, o que dá a sensação de mudança (mudança externa, mas mudança de qualquer maneira. Mais barata e mais fácil que a mudança interna). E às vezes o que é diferente pode ser simbólico, como descobri em Providence, onde dei um curso na Brown University.

Uma manhã saí de casa para dar aula. A universidade não ficava longe, de modo que fui a pé. Lá pelas tantas comecei a bater queixo: fazia frio, e eu estava em mangas de camisa. O que me criou um problema. Já não valia a pena voltar para apanhar um casaco, mas eu também não podia correr o risco de pegar uma gripe. De repente avistei uma casa a cuja porta uma moça vendia roupas usadas; e, de um cabide, pendia um belo casaco, em veludo "corduroy". O preço era uma barbada: US$ 10. Experimentei o casaco, que, surpreendentemente, me caiu como uma luva. "Parece que foi feito para você", garantiu a jovem, e o seu sorriso me ajudou na decisão. Envergando o casaco novo entrei no Departamento de Estudos Portugueses e Brasileiros da universidade. A secretária, uma simpática portuguesa, também

---

Odeio as viagens e os exploradores. (Claude Lévi-Strauss)

gostou do casaco, mas alarmou-se ao saber onde eu o havia comprado: então não sabia o doutor Scliar que aquele podia ser o casaco de um morto? Podia ser, não: era. Disso tive certeza no momento em que ela levantou a hipótese. Eu estava, sim, usando o casaco de alguém que àquela altura repousava sob a terra; não uma mortalha, mas quase.

O que não chegou a me perturbar: afinal, eu preferia usar roupa de defunto a passar frio. Mas de repente assaltou-me uma certa curiosidade: quem seria o morto cujo casaco eu, ainda que involuntariamente, herdara? Um americano, sem dúvida, mas que tipo de americano? Um professor universitário, um empresário, um jogador de beisebol, um gângster? Onde e como teria morrido? Em casa, de ataque cardíaco? Atropelado por um carro numa freeway? No Vietnã, vitimado pela bala de um guerrilheiro? Eu não tinha como descobrir, a não ser que perguntasse à moça, o que estava totalmente fora de cogitação: US$ 10 não dão direito a indagações.

De modo que continuei usando, sem muitos questionamentos, inquietações ou remorsos, o casaco do morto. Afinal – o que usamos, que não tenha, de alguma forma, pertencido aos mortos? Tudo está em como o usamos. Há muitos pistoleiros que carregam crimes nas costas. Eu, inocente, carrego o casaco de um morto. Não me pesa. Deve ser o desejo dele: assim como alguém disse – que a terra

---

RIQUEZA NÃO QUERO, NEM AMOR/ NEM AMIGO QUE ME CONHEÇA;/ SÓ PROCURO O CÉU LÁ EM CIMA/ E A ESTRADA AQUI EMBAIXO. (ROBERT LOUIS STEVENSON)

lhe seja leve –, ele deve ter expirado pensando, "que meu casaco não seja um peso para ninguém. Muito menos para um visitante enregelado".

Só o caráter e a tradição moral dão ao viajante um ponto de referência para o que ele está observando. (George Santayana)

S de Simbolismo

Existe a viagem real, e existe o simbolismo da viagem. É claro que os aspectos simbólicos não figuram nos guias turísticos e nem são debitados no cartão de crédito, mas a verdade é que a metáfora da viagem acompanha o ser humano desde há muito tempo. Quando não havia aviões, a metáfora referia-se principalmente à navegação. O barco de Pedro era, e é, o símbolo da Igreja; Buda, que ajuda a humanidade a atravessar o mar da existência, é chamado o Grande Navegador.

A Bíblia, que descreve a existência de um povo nômade, menciona muitas vezes viagens. "Sai de tua terra", diz o Senhor a Abraão, "e vem para a terra que te mostrarei". Era uma terra abençoada, mas nem por isso os hebreus ficaram nela; tangidos pela fome, foram para o Egito, de onde saíram conduzidos por Moisés.

Não é de admirar que viagens figurem tão frequentemente na literatura. Ulisses é um exemplo

---

EXISTEM DUAS CATEGORIAS PRINCIPAIS DE VIAJANTES: OS QUE VIAJAM PARA FUGIR E OS QUE VIAJAM PARA BUSCAR. (ERICO VERISSIMO)

clássico. *As aventuras de Simbad* encantam os jovens há séculos. E *A ilha do tesouro* é um grande livro para adolescentes, sem falar na obra de Júlio Verne.

A viagem às vezes é uma metáfora para a morte, lembra Freud (que ficava ansioso quando tinha de viajar), mas é também o grande antídoto contra a monotonia da existência. Ela exprime um desejo profundo de mudanças, de novas experiências. Segundo Jung, estamos constantemente em busca da Mãe perdida (segundo J. E. Cirlot, em *A Dictionary of Symbols,* ao contrário, quando viajamos estamos é fugindo da Mãe. Podem escolher). Não quer dizer que gostaremos do que vamos encontrar, sustenta Baudelaire:

EM CASA EU ESTAVA MELHOR; MAS VIAJANTES NÃO DEVEM SE QUEIXAR. (WILLIAM SHAKESPEARE)

Sabor amargo, esse que se extrai da viagem!
O mundo, monótono e pequeno, hoje,
ontem, amanhã, sempre, nos faz ver nossa imagem,
um oásis de horror num deserto de tédio!

Dá para ver que o poeta não daria um bom agente de viagens. Mas ele tem razão no que se refere às expectativas mágicas que muitos de nós nutrimos. Às vezes até buscamos longe o que está perto. Uma parábola judaica do século dezoito ilustra-o bem.

O rabino Aizik Iukil, que vivia em Cracóvia, sonhou com um grande tesouro enterrado junto ao palácio real, em Praga. O sonho repetiu-se várias vezes; por fim o rabino decidiu empreender a longa e perigosa viagem. Lá chegando, ficou três dias rondando o palácio real, sem saber ao certo onde procurar o tesouro. Um guarda, que o observava, dirigiu-se a ele, perguntando o que fazia ali. Sem revelar sua identidade, o rabino contou o sonho que tivera. O homem riu: "Sonhos! Quem acredita neles? Eu sonhei duas vezes com um grande tesouro enterrado sob o fogão da casa de um certo rabino Aizik, em Cracóvia. Mas é claro que não vou gastar meu tempo e meu dinheiro viajando até lá". O rabino voltou a Cracóvia, cavou sob o fogão de sua casa e lá estava o tesouro.

Quem é contra viagens pode dizer que o rabino deveria ter prestado atenção em seu sonho: entraria no tesouro mais cedo (dependendo da inflação, pode

---

Viajar! Perder países!/ Ser outro constantemente,/ Por a alma não ter raízes/ De viver de ver somente!/ Não pertencer nem a mim!/ Ir em frente, ir a seguir/A ausência de ter um fim,/ E da ânsia de o conseguir! (F. Pessoa)

até valer a pena). Quem é a favor sustentará que o rabino só descobriu o significado do sonho porque viajou. A vantagem das parábolas, como das viagens, é que elas satisfazem todos os gostos.

A EVOCAÇÃO DE MINHAS VIAGENS ENVOLVE-ME EM BEM-HUMORADA TRISTEZA.
(WILLIAM SHAKESPEARE)

T *de Turista*

Um dia será necessário fazer um estudo antropológico sobre esta curiosa criatura, o turista, uma espécie gerada pela facilidade de comunicações e da qual se nutre uma indústria sempre crescente.

Como o sertanejo, o turista é antes de tudo um forte. Tem de ser forte para aguentar as longas caminhadas e para carregar as pesadas malas, e bolsas, e pacotes com as compras que, afinal, são um dos principais objetivos das viagens.

Diferente do sertanejo, o turista é alegre. Alegrinho, excitado. Fala alto, pelos cotovelos, ri, às vezes canta. É vistoso: o turista americano, por exemplo, não pode ir ao trópico sem aquelas camisas floreadas que o tornam alvo fácil para os assaltantes.

Às vezes, o turista sofre. Desembarca do avião e verifica que perdeu a mala; chega ao hotel, a reserva não foi feita; come alguma coisa exótica e passa

---

Quando uma pessoa viaja demais, conhece muitas pessoas, mas não faz amizades. (Sêneca)

mal (os mexicanos denominam de "turista" a diarreia que acomete sobretudo os visitantes norte-americanos, que experimentam a condimentada e nem sempre higiênica comida local. Também é chamada "praga de Montezuma". A julgar pela economia mexicana, foi a única coisa de Montezuma que deu certo). Às vezes o turista corre riscos; o de assalto é o mais frequente. Uma de minhas mais penosas experiências aconteceu numa rua da pacata cidade universitária de Providence, Rhode Island. Às dez da manhã, a caminho da universidade, fui cercado por um bando de gigantescos adolescentes que queriam o meu dinheiro. Não dei (como brasileiro, reservo-me o direito de nada ter a ver com a problemática social norte-americana) e fui agredido, mas tive a sorte de escapar ileso, o que nem sempre acontece.

Brigas. Os turistas também brigam entre si. Isso acontece sobretudo em excursões. Às vezes são vários dias de convivência, em ônibus, em hotéis, em restaurantes, nas visitas a locais famosos; e, então,

---

O HOMEM NÃO PRECISA VIAJAR PARA CRESCER; ELE TRAZ CONSIGO A IMENSIDÃO.
(FRANÇOIS-RENÉ DE CHATEAUBRIAND)

se as pessoas não são bem equilibradas, o conflito pode se instalar.

Uma vez, em Madrid, minha mulher e eu entramos numa excursão para conhecer a Andaluzia. Uma viagem de vários dias, sempre de ônibus, e que nos levaria a lugares como Córdoba e Sevilha. No dia marcado, apresentamo-nos no lugar de onde partiria o ônibus, fomos recebidos pela gentil guia espanhola e tomamos nossos lugares.

Logo deu para ver que os excursionistas dividiam-se em dois grupos. Um era composto de jovens latino-americanos, uruguaios, argentinos, chilenos; o outro – e não ficava claro se se tratava de uma grande família, mas era o que parecia –, de iraquianos. E havia ainda um inconspícuo casal de alemães.

Nos dois primeiros dias tudo correu bem, mas logo em seguida começaram os problemas. Quem os criou – uma espécie de antecipação da Guerra do Golfo – foram os iraquianos. Eram barulhentos e mal-educados; brigavam entre si o tempo todo, gritavam; um deles

---

De todas as criaturas nocivas, a mais nociva é o turista. (Francis Kilvert)

passava a viagem dormindo, e roncando. Mas o conflito estalou num dia em que mandaram a guia falar mais baixo. A pobre moça, que nada mais fazia do que cumprir a sua obrigação, descrevendo ao microfone os lugares pelos quais passávamos, começou a chorar.

De imediato, os latino-americanos solidarizaram-se com ela. E o brado "echemos a los moros", expulsemos os mouros, voltou a ressoar em terras de Espanha como tinha acontecido no século quinze. A guerra, cujo cenário era sempre o ônibus (nos hotéis era cada um por si), desenrolou-se sob a forma de curiosas escaramuças; numa das vezes, por exemplo, tratava-se de ver que grupo cantava, em espanhol ou árabe, mais alto. Algumas vezes chegou-se perto da agressão física, mas no final tudo terminou bem, com uma grande confraternização em Sevilha. Turistas são gente de paz.

PASSAPORTE: DOCUMENTO IMPOSTO A UM CIDADÃO QUE VAI PARA O EXTERIOR, DENUNCIANDO-O COMO ESTRANGEIRO E SUBMETENDO-O A HUMILHAÇÕES. (AMBROSE BIERCE, "DICIONÁRIO DO DIABO")

U *de Urgente*

O que pode ser urgente para um turista, uma pessoa que, por definição, não tem nenhum compromisso, nenhum horário? Resposta: a urgência de ir ao banheiro.

Que pode se tornar um problema, para quem sai de manhã e só pretende voltar à noite. Claro que a civilização toma conhecimento dessa necessidade e oferece facilidades para resolver o problema, mas onde estão essas facilidades?

Pelo menos em Nova York há resposta para essa angustiante questão, graças a um livro que não chega a ser *best seller,* mas é muito interessante. Chama-se *Where to Go: a Guide to Manhattan's Toilets.* A autora, Vicki Rovere, fez um exaustivo trabalho e cumpriu seu papel (higiênico!) de pesquisadora especializada (e muito especializada), dando-nos uma lista dos banheiros de Manhattan.

O VIAJANTE DE OUTRORA ERA ATIVO; IA EM BUSCA DE GENTE, DE AVENTURAS, DE EXPERIÊNCIA. O TURISTA É PASSIVO: ESPERA QUE COISAS INTERESSANTES LHE ACONTEÇAM. (DANIEL BOORSTIN)

Não é uma obra sem propósito. Todo aquele que já se viu apertado numa fria e desumana megalópole conhece a importância do banheiro. E Nova York é um lugar especialmente problemático nesse sentido. Começa com a nomenclatura; não diga, adverte Ms. Rovere, que você quer ir ao "toilet", diga "bathroom". Qual "bathroom"? Ms. Rovere classifica-os, muito convenientemente, pelas instituições em que se localizam: museus, lojas, livrarias, etc. (junto, um mapa de Manhattan, para os que se virem perdidos). E acrescenta várias e úteis

---

Árvores que são muito transplantadas não crescem. (Provérbio holandês)

dicas. Fica-se sabendo, por exemplo, que as toalhas de papel nos banheiros da Trump Tower estão meio escondidas (deve ser graças a isso que o Trump ficou milionário). Na Katz's Delicatessen, só os clientes podem usar os banheiros, mas isso não chega a ser sacrifício, porque os "Knishes" (bolinhos) são muito bons e podem até ajudar o trânsito intestinal. Só os clientes do dia são atendidos, adverte um cartaz: se você comprou "Knishes" num dia e quer usar o banheiro no dia seguinte, esqueça. No Hotel Marriott Marquis, a vista do banheiro do nono andar é belíssima; no Paramount, as torneiras são de prata (cuidado com a tentação). No Centro Cultural Islâmico, deve-se entrar sem sapatos. Na loja Century 21, menores de 21 anos só podem entrar no banheiro acompanhados dos pais – não sei se tal advertência se aplica aos órfãos.

Bem, mas pelo menos Nova York tem um guia dos banheiros. Já as grandes cidades brasileiras não oferecem guias. Nem banheiros.

A ÚNICA MANEIRA DE NÃO PERDER O TREM É PERDER O QUE VEM ANTES DELE. (G. K. CHESTERTON)

V
de Ver

Ver, é o que o turista sobretudo deseja. Ver tal ou qual paisagem, tal ou qual museu, tal ou qual igreja. O turista é um grande e guloso olho que viaja pelo mundo. Um olho que não confia em si mesmo; daí a máquina fotográfica e a câmera de vídeo que o turista sempre leva a tiracolo. E que utilizará sempre, mesmo nos locais proibidos; não há nada que deixe um turista fotomaníaco mais feliz do que tirar uma foto com *flash* num museu cujos cartazes proíbem-no expressamente.

Mas não é o quadro do museu o grande objeto de seu desejo. É o panorama, a paisagem, a vista. A aflição do visitante comunica-se aos nativos, que querem, de qualquer maneira, mostrar alguma coisa que seja arrebatadora. Numa cidade como Porto Alegre, que não tem as belezas do Rio ou de Salvador, nem os monumentos históricos de Ouro Preto, esse problema torna-se ainda mais agudo.

SE A JORNADA É LONGA, ATÉ PALHA PESA. (PROVÉRBIO ESPANHOL)

Solução tem sido os nossos crepúsculos, que, vistos do Morro Santa Teresa, são espetaculares – ou pelo menos assim achamos. Mario Quintana contava que certa vez para lá levou Marques Rebelo, que, na ocasião, visitava a cidade. O escritor carioca assistiu ao pôr do sol em silêncio. Na volta, escreveu no jornal: "Como eles não têm nada para mostrar, ficam falando dos tais crepúsculos".

Marques Rebelo certamente não tinha uma máquina fotográfica. E por isso foi poupado do problema enfrentado por um médico de Porto Alegre. Esse doutor foi a um congresso em Atenas. Fotografou muito, *slides* principalmente, que pretendia mostrar aos amigos. Na volta, marcou um jantar, convidou um bom público e mandou o filho buscar os *slides*, que ficaram prontos só poucas horas antes. Quando começou a projetá-los, ficou horrorizado: eram *slides* de ruínas, sim, mas não eram os seus *slides:* tinha havido uma troca e, por uma espantosa coincidência, ele recebera o material de algum outro turista – que fizera as fotos sabe lá onde.

Mas ele não se deixou desanimar. Ruínas são ruínas, e as do seu rival (ou companheiro) eram tão inespecíficas, que bem podiam estar em Atenas. De

---

Regra número 1 para quem viaja ao exterior: leve consigo o senso comum, deixe em casa o preconceito. (Willian Hazlitt)

modo que ele as foi descrevendo, e acrescentando às descrições comentários sobre a mitologia grega. A sessão foi um sucesso. Mas, convenhamos, está longe de ser uma experiência recomendável.

Se você é aquilo que a foto do seu passaporte mostra, então você está mesmo precisando de uma viagem. (Earl Wilson)

W *de Wunderkammer*

Algum tempo depois da descoberta da América, surge o Wunderkammer, o gabinete das maravilhas. Pessoas ricas tinham em suas casas uma sala dedicada especialmente a objetos trazidos de regiões longínquas, sobretudo do Novo Mundo: armas de índios, cabeças encolhidas, animais exóticos empalhados, coisas no gênero. Foi o sonho, aliás, de um norte-americano chamado Robert Ripley, que durante décadas viajou pelo mundo coletando objetos curiosos e descrevendo-os em sua coluna jornalística ilustrada, *Believe it or not*. Os troféus de Ripley deram lugar a um museu que está em San Francisco e onde se pode ver uma "sereia" mumificada – na verdade a parte superior de um macaco costurada à parte inferior de um peixe.

O sonho de todo turista é ter o seu Wunderkammer, sobretudo para mostrar aos amigos. Mas

---

Siga a estrada de tijolos amarelos. (E. Y. Harburg – título de canção)

como as maravilhas são cada vez mais escassas, ele se contenta com o lixo turístico: miniaturas da Torre Eiffel e da Estátua da Liberdade, esferográficas com nomes de cidades. O que se há de fazer? Até mesmo o suvenir foi massificado. São raras as oportunidades em que se conseguem objetos que, por si sós, contam uma história, ou pelo menos sugerem uma história. Como a chave que eu comprei no mercado árabe de Jerusalém, uma chave enorme, com jeito de antiga (sobre chaves que têm jeito de antigas, mas não são antigas, ver abaixo), e que incendiou minha imaginação: que portas teria aberto aquela chave? A porta de uma casa que hospedou Jesus? A porta da casa do Sumo Sacerdote? O negociante não me acompanhou nas especulações; limitou-se a sorrir quando eu lhe disse – espero que esta seja a chave da paz.

Comprei várias outras chaves, depois. Sempre acreditando, ou querendo acreditar, que se tratava de antiguidades; sempre acreditando, ou querendo acreditar, que cada uma delas me remetia a um passado longínquo e misterioso. Mas em Ouro Preto entrei num antiquário a cuja porta tive de deixar, parafraseando a inscrição do inferno de Dante, toda a minha inocência. Havia, sim, chaves à venda; muitas, dezenas delas; mais chaves ali naquela loja do que casas em Ouro Preto. A dúvida assomou dentro de mim, aquele tipo de dúvida que, uma vez surgida, não mais desaparece. E eu fiz uma pergunta à jovem que tomava conta da casa; uma pergunta cuja resposta, eu bem sabia, destruiria o resto de ilusão que, com

---

As melhores coisas da vida são Duty Free. (Cartaz, Aeroporto de Heathrow)

relação a chaves, eu ainda conservava; uma pergunta capaz de destruir o meu Wunderkammer. Mas todos temos em nós a semente da autoaniquilação, e, assim, quando eu dei por mim, já estava indagando:

– É muito antiga esta chave?

A jovem me olhou. Mascando chiclete, ela não tinha a menor ideia do conflito que se desenrolava dentro do turista. E foi com imenso descaso que respondeu:

– É, sim, é bem antiga.

Naquele momento eu ainda podia me salvar: batendo em retirada, comprando a chave sem mais delongas. Mas quem quer se salvar? Nós queremos é perguntar:

– Antiga de quanto tempo? – insisti.

Suspirou, mortalmente enfastiada:

– Bem antiga. Está aí há mais de mês.

Com o que as chaves foram para sempre eliminadas da lista de objetos do meu desejo. Por algum tempo esqueci o gabinete das maravilhas. Até o dia em que, perto da estação ferroviária de Frankfurt, passei diante da lojinha de um russo. Os russos estavam chegando, então, fugindo

---

VIAJAR EXPANDE A NOSSA CAPACIDADE DE SIMPATIA, REDIMINDO-NOS DA RECLUSÃO E DA MODORRA DOS LIMITES DA NOSSA PERSONALIDADE. (JOSÉ ENRIQUE RODÓ)

do naufrágio comunista, e havia muitos deles em Frankfurt. Alguns eram vendedores ambulantes. Outros tocavam violino nas praças. E uns poucos, como aquele senhor gordo e idoso, tinham tido a sorte de abrir uma loja. Especializada, aliás; e o que me atraiu foi justamente a mercadoria na qual se especializava.

Medalhas. Medalhas soviéticas. Medalhas do trabalho; medalhas que, no passado, tinham premiado a dedicação à causa, à crença num mundo melhor a ser conquistado com esforço e dedicação. Medalhas que agora estavam ali, em caixas de papelão, às dezenas, às centenas.

Perguntei o preço de uma. Custava o equivalente a uns vinte e cinco dólares. Não é caro, ponderou o homem, acrescentando:

– É prata. Pura prata.

Era o argumento que lhe tinha ocorrido. Não disse: isto é o símbolo de uma época, isto é a síntese de uma vida, isto é a expressão de um ideal. Não. Para ele, a medalha agora valia o seu preço porque era de prata.

Comprei-a. Está no meu gabinete das maravilhas. Maravilha nem sempre é uma coisa que aconteceu. Maravilha, muitas vezes, é uma coisa que poderia ter acontecido e não aconteceu.

ALMOÇO EM LONDRES, JANTAR EM NOVA YORK – BAGAGEM SABE LÁ ONDE. (GRAFITE INGLÊS)

X *de Xadrez*

Em matéria de peças de xadrez há verdadeiras obras de arte, como se pode constatar em vários museus. Mas nenhuma me impressionou tanto como a que vi na Sala 42 do Museu Britânico, em Londres. Ali existe um grupo de peças talhadas em marfim de morsa, encontradas em 1331 na Ilha Lewis. O estilo é escandinavo, a época de confecção provavelmente remonta ao século doze. Como chegaram tais peças às Ilhas Britânicas é um mistério.

A figura mais estranha é a de um rei. Sentado, com a coroa na cabeça e segurando a espada com as duas mãos, o rei mira. O que ele mira, não se sabe; mas a expressão de seu olhar é fantástica: um olhar um pouco perplexo, um pouco angustiado, um pouco resignado – o olhar menos real que se poderia imaginar. O olhar de quem se pergunta: Deus, o que faço aqui? (A pergunta que todo rei em algum

---

Todas as capitais se parecem: ali, as pessoas se parecem, os costumes se confundem. Não é lá que se descobrem os povos. (Jean-Jacques Rousseau)

momento se faz; a pergunta que todos nós, em algum momento, nos fazemos.)

Eu fiquei muito tempo diante daquele rei. E quando saímos, a expressão de seu olhar continuava a me perseguir. Pedi que minha mulher esperasse, voltei ao museu; eu queria comprar uma foto do monarca para, ao menos, lembrar-me dele.

Foto não havia. Havia reproduções das várias peças. Fui até o balcão, perguntei pelo rei. Acabei de vender o último, disse a moça, mostrando a senhora que acabava de adquiri-lo.

Foi tão grande a minha decepção que a velha e digna dama se apiedou do pobre estrangeiro. O senhor quer muito esse rei, não é verdade?, perguntou, sorrindo. Eu tive de confessar: sim, eu queria muito aquele rei. Sem vacilar, ela me pôs na mão a sacola plástica com a peça de xadrez:

– Fique com ele. Eu venho aqui seguido, posso comprá-lo em outra ocasião.

O rei está em minha casa. Lembra-me o gesto de uma senhora inglesa que é, penso, a única justificativa para a existência da realeza.

Que ilusão viajar! Todo o planeta é zero./ Por toda a parte é mau o homem e bom o céu. (Antonio Nobre)

Y *de Yard Sale*

Quem vai aos Estados Unidos, e sobretudo quem vai a uma pequena cidade, descobre que dá para comprar muita coisa útil e surpreendente nas *yard sales*.

É uma tradição americana, esta, a venda no jardim. Ou porque está se mudando, ou porque precisa de alguma grana, ou porque quer se livrar de coisas, a família dispõe-se a passar o sábado na frente da casa, vendendo os objetos mais variados: roupas, livros, eletrodomésticos, antiguidades. É parecido com o brique da Redenção: só que no caso as pessoas, por assim dizer, se expõem mais. Com o que não estão absolutamente se importando. É trabalho, e trabalho faz parte da tradição puritana americana, assim como faz parte dessa tradição ganhar dinheiro. Uma elegante senhora não sente vergonha nenhuma

---

IMPRESSIONANTE A AMABILIDADE DAS PESSOAS QUANDO SABEM QUE VOCÊ VAI VIAJAR. (MICHAEL ARLEN)

de receber 25 cents por um livro usado ou meio dólar por uma blusa.

Um sábado de manhã saí para um passeio pela cidade de Providence. Meu propósito – fazer um pouco de exercício – viu-se frustrado: a cada quarteirão eu parava numa *yard sale,* lutando contra a tentação consumista. E era preciso lutar muito: uma máquina de escrever, usada mas perfeitamente conservada, por dois dólares; uma antologia da literatura inglesa por 50 cents; um rádio portátil por 75 cents... Resisti o quanto pude, mas acabei me rendendo a uma antiguidade: uma caixinha de música que tocava Mozart e custava um dólar. No entanto, como eu precisava caminhar – a essa altura o sentimento de culpa era grande –, pedi à senhora que guardasse a caixinha até a minha volta.

Andei muito, nessa manhã de sábado. A cidade não é tão pequena, tem 250 mil habitantes, e o bairro também é bastante grande. Passei por incontáveis casas com *yard sales.* No final, tanto as casas como os objetos à venda, e as pessoas que os vendiam, tudo tudo me parecia absolutamente igual; o que não é de admirar, pois se há povo que tende à uniformidade, esse povo é o americano. Decidi, pois, regressar, apanhar a minha caixinha de música e voltar para casa.

Mas quem é que disse que eu achava a *yard sale* onde tinha comprado a tal caixinha? Eu não anotara o endereço, confiando no meu senso de orientação. Que, no caso, se revelou lamentavelmente falho. Eu

---

Se as viagens simplesmente instruíssem os homens, os marinheiros seriam os mais instruídos. (Marquês de Maricá)

não achava a caixinha nem a rua, nem nada. E como tínhamos convidados para almoçar, acabei voltando – de mãos vazias.

Não faz mal. O espírito puritano me garante que a senhora não venderá o objeto a ninguém. Ele ficará a minha espera até que o acaso me conduza de novo à casa de *yard sale*. E se isso não acontecer, é bem possível que um dia o carteiro, em Porto Alegre, me entregue um pequeno pacote. Antes mesmo de abri-lo, ouvirei Mozart. A mão que chegou ao Vietnã chegará também a Porto Alegre.

Viajar instrui – afirmam. Basta olhar para o turista para verificar a extensão dessa balela. (Mário da Silva Brito)

Z *de Zebra*

Uma zebra: foi exatamente isso que o filho (dez anos) de um conhecido empresário pediu ao pai, que estava viajando para a África do Sul. Uma zebra viva, sim, mas havia atenuantes: ele não queria o animal adulto, uma zebrinha, e com ela substituiria o pônei que costumava montar e que, além de velho, era um quadrúpede perfeitamente convencional, de coloração igual a qualquer equino. Em favor do genitor, deve-se dizer que ele não trouxe a zebra. Não por causa do dinheiro, mas porque não queria ser acusado de um atentado contra a fauna exótica.

Ah, as encomendas. Abrangem um espectro de proporções inimagináveis que vão desde a filmadora até o pastrami vendido numa *delicatessen* de Nova York, cujo endereço eu não sei bem, mas é muito fácil encontrar, a gente vai até o Bronx, e aí toma um trem, etc. Isso quando o artigo encomendado

---

Não há decepções possíveis para um viajante, que apenas vê de passagem a natureza humana e não ganha tempo de conhecer-lhe o lado feito. (Machado de Assis)

pode ser descrito; às vezes é aquela pecinha que encaixa no relé do transdutor de um aparelho que já não existe mais, mas que se a pessoa procurar bem... Mas pecinha pelo menos é portátil. Pior quando a encomenda exige uma embalagem só para ela. Amigo meu tinha um parente que uma vez lhe pediu dois pares de patins, para seus garotos mais novos. Dois pares de patins: encheram uma maleta, mas ele trouxe. Na viagem seguinte, o parente pediu mais dois pares de patins: os filhos mais velhos, enciumados, estavam brigando com os menores. Para evitar uma tragédia doméstica, o meu amigo trouxe os dois pares de patins, esperando que aquilo encerrasse a demanda. Engano: quando se aprontava para viajar outra vez, apareceu o parente. Mas eu já trouxe patins para todos os teus filhos, reclamou o meu amigo. Sorridente, o parente explicou que a mulher tinha dado à luz gêmeos e ele, previdente, queria providenciar os patins antes que os nenês crescessem. Mas dessa vez o meu amigo recusou: tu não precisas de patins, disse, precisas de uma vasectomia.

O problema com as encomendas não é só trazer, às vezes é levar também. Um porto-alegrense que viajou para Fortaleza recebeu, no hotel, telefonema de um gaúcho que tinha família no Sul e que queria mandar um presente. Pode trazer, disse o emissário "malgré lui". Saiu e, quando voltou, encontrou a encomenda: uma caixa de um metro de altura por outro tanto de largura e de profundidade. Continha, de acordo com o bilhete que a acompanhava, nada mais

---

PARA COMPREENDER QUE O CÉU É AZUL EM TODO O MUNDO, NÃO É PRECISO DAR A VOLTA AO MUNDO. (GOETHE)

nada menos que uma sela de camelo. Explicação: o remetente fizera parte do batalhão Suez, a força de paz da ONU estacionada no Egito – que acontece ser a terra dos camelos. Daí o suvenir.

Num primeiro momento, nosso amigo ficou indignado. Depois, resolveu trazer a encomenda sem protestar. Afinal, podia dar-se por feliz: se tivesse de trazer o camelo seria muito pior. Ou uma zebra.

Viajar: trocar o que se ama pelo que não se conhece. (Benoite Groult)

Sobre o Autor

MOACYR SCLIAR nasceu em Porto Alegre, em 1937. Era o filho mais velho de um casal de imigrantes judeus da Bessarábia (Europa Oriental). Sua mãe incentivou-o a ler desde pequeno: Monteiro Lobato, Erico Verissimo e os livros de aventura estavam entre seus preferidos. Mas foi um presente de aniversário que o despertou para a escrita – uma velha máquina de escrever, onde datilografou suas primeiras histórias. Ao ingressar na faculdade de medicina, começou a escrever para o jornal *Bisturi*. Em 1962, no mesmo ano da formatura na Universidade Federal do Rio Grande do Sul, publicou seu primeiro livro, *Histórias de um médico em formação* (contos). Paralelamente à trajetória na saúde pública – que lhe permitiu conhecer o Brasil nas suas profundezas –, construiu uma consolidada carreira de escritor, cujo marco foi o lançamento, em 1968, com grande repercussão da crítica, de *O carnaval dos animais* (contos).

Autor de mais de oitenta livros, Scliar construiu uma obra rica e vasta, fortemente influenciada pelas experiências de esquerda, pela psicanálise e pela cultura judaica. Sua literatura abrange diversos gêneros, entre ficção, ensaio, crônica e literatura juvenil, com ampla divulgação no Brasil e no exterior, tendo sido traduzida para várias línguas. Seus livros foram adaptados para o cinema, teatro, TV e rádio e receberam várias premiações, entre elas quatro Prêmios Jabuti: em 1988, com *O olho enigmático*, na categoria contos, crônicas e novelas; em 1993, com *Sonhos tropicais*, romance; em 2000, com *A mulher que escreveu a Bíblia*, romance, e em 2009, com *Manual da paixão solitária*, romance. Também foi agraciado com o Prêmio da Associação Paulista de Críticos de Arte (1980) pelo romance *O centauro no jardim*, com o Casa de las Américas (1989) pelo livro de contos *A orelha de Van Gogh* e com três Prêmios Açorianos: em 1996, com *Dicionário do viajante insólito*, crônicas; em 2002, com *O imaginário cotidiano*, crônicas; e, em 2007, com o ensaio *O texto ou: a vida – uma trajetória literária*, na categoria especial.

Pela L&PM Editores, publicou os romances *Mês de cães danados* (1977), *Doutor Miragem* (1978), *Os voluntários* (1979), *O exército de um homem só* (1980), *A guerra no Bom Fim* (1981), *Max e os felinos* (1981), *A festa no castelo* (1982), *O centauro no jardim* (1983), *Os deuses de Raquel* (1983), *A estranha nação de Rafael Mendes* (1983), *Cenas da vida minúscula* (1991), *O ciclo das águas* (1997) e *Uma história farroupilha* (2004); os livros de crônicas *A massagista japonesa* (1984), *Dicionário do viajante insólito* (1995), *Minha mãe não dorme enquanto eu não chegar* (1996) e *Histórias de Porto Alegre* (2004); as coletâneas de ensaios *A condição judaica* (1985) e *Do mágico ao social* (1987), além dos livros de contos *Histórias para (quase) todos os gostos* (1998) e *Pai e filho, filho e pai* (2002), do livro coletivo *Pega pra kaputt!* (1978)

e de *Se eu fosse Rothschild* (1993), um conjunto de citações judaicas.

Scliar colaborou com diversos órgãos da imprensa com ensaios e crônicas, foi colunista dos jornais *Folha de S. Paulo* e *Zero Hora* e proferiu palestras no Brasil e no exterior. Entre 1993 e 1997, foi professor visitante na Brown University e na University of Texas, nos Estados Unidos. Em 2003, foi eleito membro da Academia Brasileira de Letras. Faleceu em Porto Alegre, em 2011, aos 73 anos.

Confira entrevista gravada com Moacyr Scliar, em 2010, no site www.lpm-webtv.com.br.

Coleção L&PM POCKET (lançamentos mais recentes)

172. **Lucíola** – José de Alencar
173. **Antígona** – Sófocles – trad. Donaldo Schüler
174. **Otelo** – William Shakespeare
175. **Antologia** – Gregório de Matos
176. **A liberdade de imprensa** – Karl Marx
177. **Casa de pensão** – Aluísio Azevedo
178. **São Manuel Bueno, Mártir** – Unamuno
179. **Primaveras** – Casimiro de Abreu
180. **O noviço** – Martins Pena
181. **O sertanejo** – José de Alencar
182. **Eurico, o presbítero** – Alexandre Herculano
183. **O signo dos quatro** – Conan Doyle
184. **Sete anos no Tibet** – Heinrich Harrer
185. **Vagamundo** – Eduardo Galeano
186. **De repente acidentes** – Carl Solomon
187. **As minas de Salomão** – Rider Haggar
188. **Uivo** – Allen Ginsberg
189. **A ciclista solitária** – Conan Doyle
190. **Os seis bustos de Napoleão** – Conan Doyle
191. **Cortejo do divino** – Nelida Piñon
194. **Os crimes do amor** – Marquês de Sade
195. **Besame Mucho** – Mário Prata
196. **Tuareg** – Alberto Vázquez-Figueroa
197. **O longo adeus** – Raymond Chandler
199. **Notas de um velho safado** – Bukowski
200. **111 ais** – Dalton Trevisan
201. **O nariz** – Nicolai Gogol
202. **O capote** – Nicolai Gogol
203. **Macbeth** – William Shakespeare
204. **Heráclito** – Donaldo Schüler
205. **Você deve desistir, Osvaldo** – Cyro Martins
206. **Memórias de Garibaldi** – A. Dumas
207. **A arte da guerra** – Sun Tzu
208. **Fragmentos** – Caio Fernando Abreu
209. **Festa no castelo** – Moacyr Scliar
210. **O grande deflorador** – Dalton Trevisan
212. **Homem do príncipio ao fim** – Millôr Fernandes
213. **Aline e seus dois namorados (1)** – A. Iturrusgarai
214. **A juba do leão** – Sir Arthur Conan Doyle
215. **Assassino metido a esperto** – R. Chandler
216. **Confissões de um comedor de ópio** – Thomas De Quincey
217. **Os sofrimentos do jovem Werther** – Goethe
218. **Fedra** – Racine / Trad. Millôr Fernandes
219. **O vampiro de Sussex** – Conan Doyle
220. **Sonho de uma noite de verão** – Shakespeare
221. **Dias e noites de amor e guerra** – Galeano
222. **O Profeta** – Khalil Gibran
223. **Flávia, cabeça, tronco e membros** – M. Fernandes
224. **Guia da ópera** – Jeanne Suhamy
225. **Macário** – Álvares de Azevedo
226. **Etiqueta na prática** – Celia Ribeiro
227. **Manifesto do partido comunista** – Marx & Engels
228. **Poemas** – Millôr Fernandes
229. **Um inimigo do povo** – Henrik Ibsen
230. **O paraíso destruído** – Frei B. de las Casas
231. **O gato no escuro** – Josué Guimarães
232. **O mágico de Oz** – L. Frank Baum
233. **Armas no Cyrano's** – Raymond Chandler
234. **Max e os felinos** – Moacyr Scliar
235. **Nos céus de Paris** – Alcy Cheuiche
236. **Os bandoleiros** – Schiller
237. **A primeira coisa que eu botei na boca** – Deonísio da Silva
238. **As aventuras de Simbad, o marújo**
239. **O retrato de Dorian Gray** – Oscar Wilde
240. **A carteira de meu tio** – J. Manuel de Macedo
241. **A luneta mágica** – J. Manuel de Macedo
242. **A metamorfose** – Kafka
243. **A flecha de ouro** – Joseph Conrad
244. **A ilha do tesouro** – R. L. Stevenson
245. **Marx - Vida & Obra** – José A. Giannotti
246. **Gênesis**
247. **Unidos para sempre** – Ruth Rendell
248. **A arte de amar** – Ovídio
249. **O sono eterno** – Raymond Chandler
250. **Novas receitas do Anonymus Gourmet** – J.A.P.M.
251. **A nova catacumba** – Arthur Conan Doyle
252. **Dr. Negro** – Arthur Conan Doyle
253. **Os voluntários** – Moacyr Scliar
254. **A bela adormecida** – Irmãos Grimm
255. **O príncipe sapo** – Irmãos Grimm
256. **Confissões e Memórias** – H. Heine
257. **Viva o Alegrete** – Sergio Faraco
258. **Vou estar esperando** – R. Chandler
259. **A senhora Beate e seu filho** – Schnitzler
260. **O ovo apunhalado** – Caio Fernando Abreu
261. **O ciclo das águas** – Moacyr Scliar
262. **Millôr Definitivo** – Millôr Fernandes
263. **Viagem ao centro da Terra** – Júlio Verne
265. **A dama do lago** – Raymond Chandler
266. **Caninos brancos** – Jack London
267. **O médico e o monstro** – R. L. Stevenson
268. **A tempestade** – William Shakespeare
269. **Assassinatos na rua Morgue** – E. Allan Poe
270. **99 corruíras nanicas** – Dalton Trevisan
271. **Broquéis** – Cruz e Sousa
272. **Mês de cães danados** – Moacyr Scliar
273. **Anarquistas – vol. 1 – A idéia** – G.Woodcock
274. **Anarquistas – vol. 2 – O movimento** – G.Woodcock
275. **Pai e filho, filho e pai** – Moacyr Scliar
276. **As aventuras de Tom Sawyer** – Mark Twain
277. **Muito barulho por nada** – W. Shakespeare
278. **Elogio da loucura** – Erasmo
279. **Autobiografia de Alice B. Toklas** – G. Stein
280. **O chamado da floresta** – J. London
281. **Uma agulha para o diabo** – Ruth Rendell
282. **Verdes vales do fim do mundo** – A. Bivar
283. **Ovelhas negras** – Caio Fernando Abreu
284. **O fantasma de Canterville** – O. Wilde
285. **Receitas de Yayá Ribeiro** – Celia Ribeiro
286. **A galinha degolada** – H. Quiroga
287. **O último adeus de Sherlock Holmes** – A. Conan Doyle
288. **A. Gourmet *em* Histórias de cama & mesa** – J. A. Pinheiro Machado
289. **Topless** – Martha Medeiros
290. **Mais receitas do Anonymus Gourmet** – J. A. Pinheiro Machado

291. Origens do discurso democrático – D. Schüler
292. Humor politicamente incorreto – Nani
293. O teatro do bem e do mal – E. Galeano
294. Garibaldi & Manoela – J. Guimarães
295. 10 dias que abalaram o mundo – John Reed
296. Numa fria – Bukowski
297. Poesia de Florbela Espanca vol. 1
298. Poesia de Florbela Espanca vol. 2
299. Escreva certo – E. Oliveira e M. E. Bernd
300. O vermelho e o negro – Stendhal
301. Ecce homo – Friedrich Nietzsche
302(7). Comer bem, sem culpa – Dr. Fernando Lucchese, A. Gourmet e Iotti
303. O livro de Cesário Verde – Cesário Verde
305. 100 receitas de macarrão – S. Lancellotti
306. 160 receitas de molhos – S. Lancellotti
307. 100 receitas light – H. e Â. Tonetto
308. 100 receitas de sobremesas – Celia Ribeiro
309. Mais de 100 dicas de churrasco – Leon Diziekaniak
310. 100 receitas de acompanhamentos – C. Cabeda
311. Honra ou vendetta – S. Lancellotti
312. A alma do homem sob o socialismo – Oscar Wilde
313. Tudo sobre Yôga – Mestre De Rose
314. Os varões assinalados – Tabajara Ruas
315. Édipo em Colono – Sófocles
316. Lisístrata – Aristófanes / trad. Millôr
317. Sonhos de Bunker Hill – John Fante
318. Os deuses de Raquel – Moacyr Sclíar
319. O colosso de Marússia – Henry Miller
320. As eruditas – Molière / trad. Millôr
321. Radicci 1 – Iotti
322. Os Sete contra Tebas – Ésquilo
323. Brasil Terra à vista – Eduardo Bueno
324. Radicci 2 – Iotti
325. Júlio César – William Shakespeare
326. A carta de Pero Vaz de Caminha
327. Cozinha Clássica – Silvio Lancellotti
328. Madame Bovary – Gustave Flaubert
329. Dicionário do viajante insólito – M. Sclíar
330. O capitão saiu para o almoço... – Bukowski
331. A carta roubada – Edgar Allan Poe
332. É tarde para saber – Josué Guimarães
333. O livro da bio da Astrologia – Maggy Harrisonx e Mellina Li
334. 1933 foi um ano ruim – John Fante
335. 100 receitas de arroz – Aninha Comas
336. Guia prático do Português correto – vol. 1 – Cláudio Moreno
337. Bartleby, o escriturário – H. Melville
338. Enterrem meu coração na curva do rio – Dee Brown
339. Um conto de Natal – Charles Dickens
340. Cozinha sem segredos – J. A. P. Machado
341. A dama das Camélias – A. Dumas Filho
342. Alimentação saudável – H. e Â. Tonetto
343. Continhos galantes – Dalton Trevisan
344. A Divina Comédia – Dante Alighieri
345. A Dupla Sertanojo – Santiago
346. Cavalos do amanhecer – Mario Arregui
347. Biografia de Vincent van Gogh por sua cunhada – Jo van Gogh-Bonger
348. Radicci 3 – Iotti
349. Nada de novo no front – E. M. Remarque
350. A hora dos assassinos – Henry Miller
351. Flush – Memórias de um cão – Virginia Woolf
352. A guerra no Bom Fim – M. Sclíar
353(1). O caso Saint-Fiacre – Simenon
354(2). Morte na alta sociedade – Simenon
355(3). O cão amarelo – Simenon
356(4). Maigret e o homem do banco – Simenon
357. As uvas e o vento – Pablo Neruda
358. On the road – Jack Kerouac
359. O coração amarelo – Pablo Neruda
360. Livro das perguntas – Pablo Neruda
361. Noite de Reis – William Shakespeare
362. Manual de Ecologia – vol.1 – J. Lutzenberger
363. O mais longo dos dias – Cornelius Ryan
364. Foi bom prá você? – Nani
365. Crepusculário – Pablo Neruda
366. A comédia dos erros – Shakespeare
367(5). A primeira investigação de Maigret – Simenon
368(6). As férias de Maigret – Simenon
369. Mate-me por favor (vol.1) – L. McNeil
370. Mate-me por favor (vol.2) – L. McNeil
371. Carta ao pai – Kafka
372. Os vagabundos iluminados – J. Kerouac
373(7). O enforcado – Simenon
374(8). A fúria de Maigret – Simenon
375. Vargas, uma biografia política – H. Silva
376. Poesia reunida (vol.1) – A. R. de Sant'Anna
377. Poesia reunida (vol.2) – A. R. de Sant'Anna
378. Alice no país do espelho – Lewis Carroll
379. Residência na Terra 1 – Pablo Neruda
380. Residência na Terra 2 – Pablo Neruda
381. Terceira Residência – Pablo Neruda
382. O delírio amoroso – Bocage
383. Futebol ao sol e à sombra – E. Galeano
384(9). O porto das brumas – Simenon
385(10). Maigret e seu morto – Simenon
386. Radicci 4 – Iotti
387. Boas maneiras & sucesso nos negócios – Celia Ribeiro
388. Uma história Farroupilha – M. Sclíar
389. Na mesa ninguém envelhece – J. A. Pinheiro Machado
390. 200 receitas inéditas do Anonymus Gourmet – J. A. Pinheiro Machado
391. Guia prático do Português correto – vol.2 – Cláudio Moreno
392. Breviário das terras do Brasil – Assis Brasil
393. Cantos Cerimoniais – Pablo Neruda
394. Jardim de Inverno – Pablo Neruda
395. Antonio e Cleópatra – William Shakespeare
396. Tróia – Cláudio Moreno
397. Meu tio matou um cara – Jorge Furtado
398. O anatomista – Federico Andahazi
399. As viagens de Gulliver – Jonathan Swift
400. Dom Quixote – (v. 1) – Miguel de Cervantes
401. Dom Quixote – (v. 2) – Miguel de Cervantes
402. Sozinho no Pólo Norte – Thomaz Brandolin
403. Matadouro 5 – Kurt Vonnegut
404. Delta de Vênus – Anaïs Nin
405. O melhor de Hagar 2 – Dik Browne

406. **É grave Doutor?** – Nani
407. **Orai pornô** – Nani
408(11). **Maigret em Nova York** – Simenon
409(12). **O assassino sem rosto** – Simenon
410(13). **O mistério das jóias roubadas** – Simenon
411. **A irmãzinha** – Raymond Chandler
412. **Três contos** – Gustave Flaubert
413. **De ratos e homens** – John Steinbeck
414. **Lazarilho de Tormes** – Anônimo do séc. XVI
415. **Triângulo das águas** – Caio Fernando Abreu
416. **100 receitas de carnes** – Sílvio Lancellotti
417. **Histórias de robôs**: vol. 1 – org. Isaac Asimov
418. **Histórias de robôs**: vol. 2 – org. Isaac Asimov
419. **Histórias de robôs**: vol. 3 – org. Isaac Asimov
420. **O país dos centauros** – Tabajara Ruas
421. **A república de Anita** – Tabajara Ruas
422. **A carga dos lanceiros** – Tabajara Ruas
423. **Um amigo de Kafka** – Isaac Singer
424. **As alegres matronas de Windsor** – Shakespeare
425. **Amor e exílio** – Isaac Bashevis Singer
426. **Use & abuse do seu signo** – Marília Fiorillo e Marylou Simonsen
427. **Pigmaleão** – Bernard Shaw
428. **As fenícias** – Eurípides
429. **Everest** – Thomaz Brandolin
430. **A arte de furtar** – Anônimo do séc. XVI
431. **Billy Bud** – Herman Melville
432. **A rosa separada** – Pablo Neruda
433. **Elegia** – Pablo Neruda
434. **A garota de Cassidy** – David Goodis
435. **Como fazer a guerra: máximas de Napoleão** – Balzac
436. **Poemas escolhidos** – Emily Dickinson
437. **Gracias por el fuego** – Mario Benedetti
438. **O sofá** – Crébillon Fils
439. **O "Martín Fierro"** – Jorge Luis Borges
440. **Trabalhos de amor perdidos** – W. Shakespeare
441. **O melhor de Hagar 3** – Dik Browne
442. **Os Maias (volume1)** – Eça de Queiroz
443. **Os Maias (volume2)** – Eça de Queiroz
444. **Anti-Justine** – Restif de La Bretonne
445. **Juventude** – Joseph Conrad
446. **Contos** – Eça de Queiroz
447. **Janela para a morte** – Raymond Chandler
448. **Um amor de Swann** – Marcel Proust
449. **À paz perpétua** – Immanuel Kant
450. **A conquista do México** – Hernan Cortez
451. **Defeitos escolhidos e 2000** – Pablo Neruda
452. **O casamento do céu e do inferno** – William Blake
453. **A primeira viagem ao redor do mundo** – Antonio Pigafetta
454(14). **Uma sombra na janela** – Simenon
455(15). **A noite da encruzilhada** – Simenon
456(16). **A velha senhora** – Simenon
457. **Sartre** – Annie Cohen-Solal
458. **Discurso do método** – René Descartes
459. **Garfield em grande forma (1)** – Jim Davis
460. **Garfield está de dieta (2)** – Jim Davis
461. **O livro das feras** – Patricia Highsmith
462. **Viajante solitário** – Jack Kerouac
463. **Auto da barca do inferno** – Gil Vicente
464. **O livro vermelho dos pensamentos de Millôr** – Millôr Fernandes
465. **O livro dos abraços** – Eduardo Galeano
466. **Voltaremos!** – José Antonio Pinheiro Machado
467. **Rango** – Edgar Vasques
468(8). **Dieta mediterrânea** – Dr. Fernando Lucchese e José Antonio Pinheiro Machado
469. **Radicci 5** – Iotti
470. **Pequenos pássaros** – Anaïs Nin
471. **Guia prático do Português correto – vol.3** – Cláudio Moreno
472. **Atire no pianista** – David Goodis
473. **Antologia Poética** – García Lorca
474. **Alexandre e César** – Plutarco
475. **Uma espiã na casa do amor** – Anaïs Nin
476. **A gorda do Tiki Bar** – Dalton Trevisan
477. **Garfield um gato de peso (3)** – Jim Davis
478. **Canibais** – David Coimbra
479. **A arte de escrever** – Arthur Schopenhauer
480. **Pinóquio** – Carlo Collodi
481. **Misto-quente** – Bukowski
482. **A lua na sarjeta** – David Goodis
483. **O melhor do Recruta Zero (1)** – Mort Walker
484. **Aline: TPM – tensão pré-monstrual (2)** – Adão Iturrusgarai
485. **Sermões do Padre Antonio Vieira**
486. **Garfield numa boa (4)** – Jim Davis
487. **Mensagem** – Fernando Pessoa
488. **Vendeta** *seguido de* **A paz conjugal** – Balzac
489. **Poemas de Alberto Caeiro** – Fernando Pessoa
490. **Ferragus** – Honoré de Balzac
491. **A duquesa de Langeais** – Honoré de Balzac
492. **A menina dos olhos de ouro** – Honoré de Balzac
493. **O lírio do vale** – Honoré de Balzac
494(17). **A barcaça da morte** – Simenon
495(18). **As testemunhas rebeldes** – Simenon
496(19). **Um engano de Maigret** – Simenon
497(1). **A noite das bruxas** – Agatha Christie
498(2). **Um passe de mágica** – Agatha Christie
499(3). **Nêmesis** – Agatha Christie
500. **Esboço para uma teoria das emoções** – Sartre
501. **Renda básica de cidadania** – Eduardo Suplicy
502(1). **Pílulas para viver melhor** – Dr. Lucchese
503(2). **Pílulas para prolongar a juventude** – Dr. Lucchese
504(3). **Desembarcando o diabetes** – Dr. Lucchese
505(4). **Desembarcando o sedentarismo** – Dr. Fernando Lucchese e Cláudio Castro
506(5). **Desembarcando a hipertensão** – Dr. Lucchese
507(6). **Desembarcando o colesterol** – Dr. Fernando Lucchese e Fernanda Lucchese
508. **Estudos de mulher** – Balzac
509. **O terceiro tira** – Flann O'Brien
510. **100 receitas de aves e ovos** – J. A. P. Machado
511. **Garfield em toneladas de diversão (5)** – Jim Davis
512. **Trem-bala** – Martha Medeiros
513. **Os cães ladram** – Truman Capote
514. **O Kama Sutra de Vatsyayana**
515. **O crime do Padre Amaro** – Eça de Queiroz
516. **Odes de Ricardo Reis** – Fernando Pessoa
517. **O inverno da nossa desesperança** – Steinbeck

518. **Piratas do Tietê (1)** – Laerte
519. **Rê Bordosa: do começo ao fim** – Angeli
520. **O Harlem é escuro** – Chester Himes
521. **Café-da-manhã dos campeões** – Kurt Vonnegut
522. **Eugénie Grandet** – Balzac
523. **O último magnata** – F. Scott Fitzgerald
524. **Carol** – Patricia Highsmith
525. **100 receitas de patisseria** – Silvio Lancellotti
526. **O fator humano** – Graham Greene
527. **Tristessa** – Jack Kerouac
528. **O diamante do tamanho do Ritz** – Scott Fitzgerald
529. **As melhores histórias de Sherlock Holmes** – Arthur Conan Doyle
530. **Cartas a um jovem poeta** – Rilke
531. (20). **Memórias de Maigret** – Simenon
532. (4). **O misterioso sr. Quin** – Agatha Christie
533. **Os analectos** – Confúcio
534. (21). **Maigret e os homens de bem** – Simenon
535. (22). **O medo de Maigret** – Simenon
536. **Ascensão e queda de César Birotteau** – Balzac
537. **Sexta-feira negra** – David Goodis
538. **Ora bolas – O humor de Mario Quintana** – Juarez Fonseca
539. **Longe daqui aqui mesmo** – Antonio Bivar
540. (5). **É fácil matar** – Agatha Christie
541. **O pai Goriot** – Balzac
542. **Brasil, um país do futuro** – Stefan Zweig
543. **O processo** – Kafka
544. **O melhor de Hagar 4** – Dik Browne
545. (6). **Por que não pediram a Evans?** – Agatha Christie
546. **Fanny Hill** – John Cleland
547. **O gato por dentro** – William S. Burroughs
548. **Sobre a brevidade da vida** – Sêneca
549. **Geraldão (1)** – Glauco
550. **Piratas do Tietê (2)** – Laerte
551. **Pagando o pato** – Ciça
552. **Garfield de bom humor (6)** – Jim Davis
553. **Conhece o Mário?** vol.1 – Santiago
554. **Radicci 6** – Iotti
555. **Os subterrâneos** – Jack Kerouac
556. (1). **Balzac** – François Taillandier
557. (2). **Modigliani** – Christian Parisot
558. (3). **Kafka** – Gérard-Georges Lemaire
559. (4). **Júlio César** – Joël Schmidt
560. **Receitas da família** – J. A. Pinheiro Machado
561. **Boas maneiras à mesa** – Celia Ribeiro
562. (9). **Filhos sadios, pais felizes** – R. Pagnoncelli
563. (10). **Fatos & mitos** – Dr. Fernando Lucchese
564. **Ménage à trois** – Paula Taitelbaum
565. **Mulheres!** – David Coimbra
566. **Poemas de Álvaro de Campos** – Fernando Pessoa
567. **Medo e outras histórias** – Stefan Zweig
568. **Snoopy e sua turma (1)** – Schulz
569. **Piadas para sempre (1)** – Visconde da Casa Verde
570. **O alvo móvel** – Ross Macdonald
571. **O melhor do Recruta Zero (2)** – Mort Walker
572. **Um sonho americano** – Norman Mailer
573. **Os broncos também amam** – Angeli
574. **Crônica de um amor louco** – Bukowski
575. (5). **Freud** – René Major e Chantal Talagrand
576. (6). **Picasso** – Gilles Plazy
577. (7). **Gandhi** – Christine Jordis
578. **A tumba** – H. P. Lovecraft
579. **O príncipe e o mendigo** – Mark Twain
580. **Garfield, um charme de gato (7)** – Jim Davis
581. **Ilusões perdidas** – Balzac
582. **Esplendores e misérias das cortesãs** – Balzac
583. **Walter Ego** – Angeli
584. **Striptiras (1)** – Laerte
585. **Fagundes: um puxa-saco de mão cheia** – Laerte
586. **Depois do último trem** – Josué Guimarães
587. **Ricardo III** – Shakespeare
588. **Dona Anja** – Josué Guimarães
589. **24 horas na vida de uma mulher** – Stefan Zweig
590. **O terceiro homem** – Graham Greene
591. **Mulher no escuro** – Dashiell Hammett
592. **No que acredito** – Bertrand Russell
593. **Odisséia (1): Telemaquia** – Homero
594. **O cavalo cego** – Josué Guimarães
595. **Henrique V** – Shakespeare
596. **Fabulário geral do delírio cotidiano** – Bukowski
597. **Tiros na noite 1: A mulher do bandido** – Dashiell Hammett
598. **Snoopy em Feliz Dia dos Namorados! (2)** – Schulz
599. **Mas não se matam cavalos?** – Horace McCoy
600. **Crime e castigo** – Dostoiévski
601. (7). **Mistério no Caribe** – Agatha Christie
602. **Odisséia (2): Regresso** – Homero
603. **Piadas para sempre (2)** – Visconde da Casa Verde
604. **À sombra do vulcão** – Malcolm Lowry
605. (8). **Kerouac** – Yves Buin
606. **E agora são cinzas** – Angeli
607. **As mil e uma noites** – Paulo Caruso
608. **Um assassino entre nós** – Ruth Rendell
609. **Crack-up** – F. Scott Fitzgerald
610. **Do amor** – Stendhal
611. **Cartas do Yage** – William Burroughs e Allen Ginsberg
612. **Striptiras (2)** – Laerte
613. **Henry & June** – Anaïs Nin
614. **A piscina mortal** – Ross Macdonald
615. **Geraldão (2)** – Glauco
616. **Tempo de delicadeza** – A. R. de Sant'Anna
617. **Tiros na noite 2: Medo de tiro** – Dashiell Hammett
618. **Snoopy em Assim é a vida, Charlie Brown! (3)** – Schulz
619. **1954 – Um tiro no coração** – Hélio Silva
620. **Sobre a inspiração poética (Íon) e ...** – Platão
621. **Garfield e seus amigos (8)** – Jim Davis
622. **Odisséia (3): Ítaca** – Homero
623. **A louca matança** – Chester Himes
624. **Factótum** – Bukowski
625. **Guerra e Paz: volume 1** – Tolstói
626. **Guerra e Paz: volume 2** – Tolstói
627. **Guerra e Paz: volume 3** – Tolstói
628. **Guerra e Paz: volume 4** – Tolstói
629. (9). **Shakespeare** – Claude Mourthé

630. Bem está o que bem acaba – Shakespeare
631. O contrato social – Rousseau
632. Geração Beat – Jack Kerouac
633. Snoopy: É Natal! (4) – Charles Schulz
634(8). Testemunha da acusação – Agatha Christie
635. Um elefante no caos – Millôr Fernandes
636. Guia de leitura (100 autores que você precisa ler) – Organização de Léa Masina
637. Pistoleiros também mandam flores – David Coimbra
638. O prazer das palavras – vol. 1 – Cláudio Moreno
639. O prazer das palavras – vol. 2 – Cláudio Moreno
640. Novíssimo testamento: com Deus e o diabo, a dupla da criação – Iotti
641. Literatura Brasileira: modos de usar – Luís Augusto Fischer
642. Dicionário de Porto-Alegrês – Luís A. Fischer
643. Clô Dias & Noites – Sérgio Jockymann
644. Memorial de Isla Negra – Pablo Neruda
645. Um homem extraordinário e outras histórias – Tchékhov
646. Ana sem terra – Alcy Cheuiche
647. Adultérios – Woody Allen
648. Para sempre ou nunca mais – R. Chandler
649. Nosso homem em Havana – Graham Greene
650. Dicionário Caldas Aulete de Bolso
651. Snoopy: Posso fazer uma pergunta, professora? (5) – Charles Schulz
652(10). Luís XVI – Bernard Vincent
653. O mercador de Veneza – Shakespeare
654. Cancioneiro – Fernando Pessoa
655. Non-Stop – Martha Medeiros
656. Carpinteiros, levantem bem alto a cumeeira & Seymour, uma apresentação – J.D.Salinger
657. Ensaios céticos – Bertrand Russell
658. O melhor de Hagar 5 – Dik e Chris Browne
659. Primeiro amor – Ivan Turguêniev
660. A trégua – Mario Benedetti
661. Um parque de diversões da cabeça – Lawrence Ferlinghetti
662. Aprendendo a viver – Sêneca
663. Garfield, um gato em apuros (9) – Jim Davis
664. Dilbert 1 – Scott Adams
665. Dicionário de dificuldades – Domingos Paschoal Cegalla
666. A imaginação – Jean-Paul Sartre
667. O ladrão e os cães – Naguib Mahfuz
668. Gramática do português contemporâneo – Celso Cunha
669. A volta do parafuso seguido de Daisy Miller – Henry James
670. Notas do subsolo – Dostoiévski
671. Abobrinhas da Brasilônia – Glauco
672. Geraldão (3) – Glauco
673. Piadas para sempre (3) – Visconde da Casa Verde
674. Duas viagens ao Brasil – Hans Staden
675. Bandeira de bolso – Manuel Bandeira
676. A arte da guerra – Maquiavel
677. Além do bem e do mal – Nietzsche
678. O coronel Chabert seguido de A mulher abandonada – Balzac
679. O sorriso de marfim – Ross Macdonald
680. 100 receitas de pescados – Sílvio Lancellotti
681. O juiz e seu carrasco – Friedrich Dürrenmatt
682. Noites brancas – Dostoiévski
683. Quadras ao gosto popular – Fernando Pessoa
684. Romanceiro da Inconfidência – Cecília Meireles
685. Kaos – Millôr Fernandes
686. A pele de onagro – Balzac
687. As ligações perigosas – Choderlos de Laclos
688. Dicionário de matemática – Luiz Fernandes Cardoso
689. Os Lusíadas – Luís Vaz de Camões
690(11). Átila – Éric Deschodt
691. Um jeito tranquilo de matar – Chester Himes
692. A felicidade conjugal seguido de O diabo – Tolstói
693. Viagem de um naturalista ao redor do mundo – vol. 1 – Charles Darwin
694. Viagem de um naturalista ao redor do mundo – vol. 2 – Charles Darwin
695. Memórias da casa dos mortos – Dostoiévski
696. A Celestina – Fernando de Rojas
697. Snoopy: Como você é azarado, Charlie Brown! (6) – Charles Schulz
698. Dez (quase) amores – Claudia Tajes
699(9). Poirot sempre espera – Agatha Christie
700. Cecília de bolso – Cecília Meireles
701. Apologia de Sócrates precedido de Êutifron e seguido de Críton – Platão
702. Wood & Stock – Angeli
703. Striptiras (3) – Laerte
704. Discurso sobre a origem e os fundamentos da desigualdade entre os homens – Rousseau
705. Os duelistas – Joseph Conrad
706. Dilbert (2) – Scott Adams
707. Viver e escrever (vol. 1) – Edla van Steen
708. Viver e escrever (vol. 2) – Edla van Steen
709. Viver e escrever (vol. 3) – Edla van Steen
710(10). A teia da aranha – Agatha Christie
711. O banquete – Platão
712. Os belos e malditos – F. Scott Fitzgerald
713. Libelo contra a arte moderna – Salvador Dalí
714. Akropolis – Valerio Massimo Manfredi
715. Devoradores de mortos – Michael Crichton
716. Sob o sol da Toscana – Frances Mayes
717. Batom na cueca – Nani
718. Vida dura – Claudia Tajes
719. Carne trêmula – Ruth Rendell
720. Cris, a fera – David Coimbra
721. O anticristo – Nietzsche
722. Como num romance – Daniel Pennac
723. Emboscada no Forte Bragg – Tom Wolfe
724. Assédio sexual – Michael Crichton
725. O espírito do Zen – Alan W.Watts
726. Um bonde chamado desejo – Tennessee Williams
727. Como gostais seguido de Conto de inverno – Shakespeare
728. Tratado sobre a tolerância – Voltaire
729. Snoopy: Doces ou travessuras? (7) – Charles Schulz
730. Cardápios do Anonymus Gourmet – J.A. Pinheiro Machado
731. 100 receitas com lata – J.A. Pinheiro Machado

732. **Conheço o Mário?** vol.2 – Santiago
733. **Dilbert (3)** – Scott Adams
734. **História de um louco amor** *seguido de* **Passado amor** – Horacio Quiroga
735. (11).**Sexo: muito prazer** – Laura Meyer da Silva
736. (12).**Para entender o adolescente** – Dr. Ronald Pagnoncelli
737. (13).**Desembarcando a tristeza** – Dr. Fernando Lucchese
738. **Poirot e o mistério da arca espanhola & outras histórias** – Agatha Christie
739. **A última legião** – Valerio Massimo Manfredi
740. **As virgens suicidas** – Jeffrey Eugenides
741. **Sol nascente** – Michael Crichton
742. **Duzentos ladrões** – Dalton Trevisan
743. **Os devaneios do caminhante solitário** – Rousseau
744. **Garfield, o rei da preguiça (10)** – Jim Davis
745. **Os magnatas** – Charles R. Morris
746. **Pulp** – Charles Bukowski
747. **Enquanto agonizo** – William Faulkner
748. **Aline: viciada em sexo (3)** – Adão Iturrusgarai
749. **A dama do cachorrinho** – Anton Tchékhov
750. **Tito Andrônico** – Shakespeare
751. **Antologia poética** – Anna Akhmátova
752. **O melhor de Hagar 6** – Dik e Chris Browne
753. (12).**Michelangelo** – Nadine Sautel
754. **Dilbert (4)** – Scott Adams
755. **O jardim das cerejeiras** *seguido de* **Tio Vânia** – Tchékhov
756. **Geração Beat** – Claudio Willer
757. **Santos Dumont** – Alcy Cheuiche
758. **Budismo** – Claude B. Levenson
759. **Cleópatra** – Christian-Georges Schwentzel
760. **Revolução Francesa** – Frédéric Bluche, Stéphane Rials e Jean Tulard
761. **A crise de 1929** – Bernard Gazier
762. **Sigmund Freud** – Edson Sousa e Paulo Endo
763. **Império Romano** – Patrick Le Roux
764. **Cruzadas** – Cécile Morrisson
765. **O mistério do Trem Azul** – Agatha Christie
766. **Os escrúpulos de Maigret** – Simenon
767. **Maigret se diverte** – Simenon
768. **Senso comum** – Thomas Paine
769. **O parque dos dinossauros** – Michael Crichton
770. **Trilogia da paixão** – Goethe
771. **A simples arte de matar (vol.1)** – R. Chandler
772. **A simples arte de matar (vol.2)** – R. Chandler
773. **Snoopy: No mundo da lua! (8)** – Charles Schulz
774. **Os Quatro Grandes** – Agatha Christie
775. **Um brinde de cianureto** – Agatha Christie
776. **Súplicas atendidas** – Truman Capote
777. **Ainda restam aveleiras** – Simenon
778. **Maigret e o ladrão preguiçoso** – Simenon
779. **A viúva imortal** – Millôr Fernandes
780. **Cabala** – Roland Goetschel
781. **Capitalismo** – Claude Jessua
782. **Mitologia grega** – Pierre Grimal
783. **Economia: 100 palavras-chave** – Jean-Paul Betbèze
784. **Marxismo** – Henri Lefebvre
785. **Punição para a inocência** – Agatha Christie
786. **A extravagância do morto** – Agatha Christie
787. (13).**Cézanne** – Bernard Fauconnier
788. **A identidade Bourne** – Robert Ludlum
789. **Da tranquilidade da alma** – Sêneca
790. **Um artista da fome** *seguido de* **Na colônia penal e outras histórias** – Kafka
791. **Histórias de fantasmas** – Charles Dickens
792. **A louca de Maigret** – Simenon
793. **O amigo de infância de Maigret** – Simenon
794. **O revólver de Maigret** – Simenon
795. **A fuga do sr. Monde** – Simenon
796. **O Uraguai** – Basílio da Gama
797. **A mão misteriosa** – Agatha Christie
798. **Testemunha ocular do crime** – Agatha Christie
799. **Crepúsculo dos ídolos** – Friedrich Nietzsche
800. **Maigret e o negociante de vinhos** – Simemon
801. **Maigret e o mendigo** – Simenon
802. **O grande golpe** – Dashiell Hammett
803. **Humor barra pesada** – Nani
804. **Vinho** – Jean-François Gautier
805. **Egito Antigo** – Sophie Desplancques
806. (14).**Baudelaire** – Jean-Baptiste Baronian
807. **Caminho da sabedoria, caminho da paz** – Dalai Lama e Felizitas von Schönborn
808. **Senhor e servo e outras histórias** – Tolstói
809. **Os cadernos de Malte Laurids Brigge** – Rilke
810. **Dilbert (5)** – Scott Adams
811. **Big Sur** – Jack Kerouac
812. **Seguindo a correnteza** – Agatha Christie
813. **O álibi** – Sandra Brown
814. **Montanha-russa** – Martha Medeiros
815. **Coisas da vida** – Martha Medeiros
816. **A cantada infalível** *seguido de* **A mulher do centroavante** – David Coimbra
817. **Maigret e os crimes do cais** – Simenon
818. **Sinal vermelho** – Simenon
819. **Snoopy: Pausa para a soneca (9)** – Charles Schulz
820. **De pernas pro ar** – Eduardo Galeano
821. **Tragédias gregas** – Pascal Thiercy
822. **Existencialismo** – Jacques Colette
823. **Nietzsche** – Jean Granier
824. **Amar ou depender?** – Walter Riso
825. **Darmapada: A doutrina budista em versos**
826. **J'Accuse...! – a verdade em marcha** – Zola
827. **Os crimes ABC** – Agatha Christie
828. **Um gato entre os pombos** – Agatha Christie
829. **Maigret e o sumiço do sr. Charles** – Simenon
830. **Maigret e a morte do jogador** – Simenon
831. **Dicionário de teatro** – Luiz Paulo Vasconcellos
832. **Cartas extraviadas** – Martha Medeiros
833. **A longa viagem de prazer** – J. J. Morosoli
834. **Receitas fáceis** – J. A. Pinheiro Machado
835. (14).**Mais fatos & mitos** – Dr. Fernando Lucchese
836. (15).**Boa viagem!** – Dr. Fernando Lucchese
837. **Aline: Finalmente nua!!! (4)** – Adão Iturrusgarai
838. **Mônica tem uma novidade!** – Mauricio de Sousa
839. **Cebolinha em apuros!** – Mauricio de Sousa
840. **Sócios no crime** – Agatha Christie
841. **Bocas do tempo** – Eduardo Galeano
842. **Orgulho e preconceito** – Jane Austen
843. **Impressionismo** – Dominique Lobstein
844. **Escrita chinesa** – Viviane Alleton
845. **Paris: uma história** – Yvan Combeau

846(15).Van Gogh – David Haziot
847.Maigret e o corpo sem cabeça – Simenon
848.Portal do destino – Agatha Christie
849.O futuro de uma ilusão – Freud
850.O mal-estar na cultura – Freud
851.Maigret e o matador – Simenon
852.Maigret e o fantasma – Simenon
853.Um crime adormecido – Agatha Christie
854.Satori em Paris – Jack Kerouac
855.Medo e delírio em Las Vegas – Hunter Thompson
856.**Um negócio fracassado e outros contos de humor** – Tchékhov
857.Mônica está de férias! – Mauricio de Sousa
858.De quem é esse coelho? – Mauricio de Sousa
859.O burgomestre de Furnes – Simenon
860.O mistério Sittaford – Agatha Christie
861.Manhã transfigurada – Luiz Antonio de Assis Brasil
862.Alexandre, o Grande – Pierre Briant
863.Jesus – Charles Perrot
864.Islã – Paul Balta
865.Guerra da Secessão – Farid Ameur
866.Um rio que vem da Grécia – Cláudio Moreno
867.Maigret e os colegas americanos – Simenon
868.Assassinato na casa do pastor – Agatha Christie
869.Manual do líder – Napoleão Bonaparte
870(16).Billie Holiday – Sylvia Fol
871.Bidu arrasando! – Mauricio de Sousa
872.Desventuras em família – Mauricio de Sousa
873.Liberty Bar – Simenon
874.E no final a morte – Agatha Christie
875.Guia prático do Português correto – vol. 4 – Cláudio Moreno
876.Dilbert (6) – Scott Adams
877(17).Leonardo da Vinci – Sophie Chauveau
878.Bella Toscana – Frances Mayes
879.A arte da ficção – David Lodge
880.Striptiras (4) – Laerte
881.Skrotinhos – Angeli
882.Depois do funeral – Agatha Christie
883.Radicci 7 – Iotti
884.Walden – H. D. Thoreau
885.Lincoln – Allen C. Guelzo
886.Primeira Guerra Mundial – Michael Howard
887.A linha de sombra – Joseph Conrad
888.O amor é um cão dos diabos – Bukowski
889.Maigret sai em viagem – Simenon
890.Despertar: uma vida de Buda – Jack Kerouac
891(18).Albert Einstein – Laurent Seksik
892.Hell's Angels – Hunter Thompson
893.Ausência na primavera – Agatha Christie
894.Dilbert (7) – Scott Adams
895.Ao sul de lugar nenhum – Bukowski
896.Maquiavel – Quentin Skinner
897.Sócrates – C.C.W. Taylor
898.A casa do canal – Simenon
899.O Natal de Poirot – Agatha Christie
900.As veias abertas da América Latina – Eduardo Galeano
901.Snoopy: Sempre alerta! (10) – Charles Schulz
902.Chico Bento: Plantando confusão – Mauricio de Sousa
903.Penadinho: Quem é morto sempre aparece – Mauricio de Sousa
904.A vida sexual da mulher feia – Claudia Tajes
905.100 segredos de liquidificador – José Antonio Pinheiro Machado
906.Sexo muito prazer 2 – Laura Meyer da Silva
907.Os nascimentos – Eduardo Galeano
908.As caras e as máscaras – Eduardo Galeano
909.O século do vento – Eduardo Galeano
910.Poirot perde uma cliente – Agatha Christie
911.Cérebro – Michael O'Shea
912.O escaravelho de ouro e outras histórias – Edgar Allan Poe
913.Piadas para sempre (4) – Visconde da Casa Verde
914.100 receitas de massas light – Helena Tonetto
915(19).Oscar Wilde – Daniel Salvatore Schiffer
916.Uma breve história do mundo – H. G. Wells
917.A Casa do Penhasco – Agatha Christie
918.Maigret e o finado sr. Gallet – Simenon
919.John M. Keynes – Bernard Gazier
920(20).Virginia Woolf – Alexandra Lemasson
921.Peter e Wendy *seguido de* Peter Pan em Kensington Gardens – J. M. Barrie
922.Aline: numas de colegial (5) – Adão Iturrusgarai
923.Uma dose mortal – Agatha Christie
924.Os trabalhos de Hércules – Agatha Christie
925.Maigret na escola – Simenon
926.Kant – Roger Scruton
927.A inocência do Padre Brown – G.K. Chesterton
928.Casa Velha – Machado de Assis
929.Marcas de nascença – Nancy Huston
930.Aulete de bolso
931.Hora Zero – Agatha Christie
932.Morte na Mesopotâmia – Agatha Christie
933.Um crime na Holanda – Simenon
934.Nem te conto, João – Dalton Trevisan
935.As aventuras de Huckleberry Finn – Mark Twain
936(21).Marilyn Monroe – Anne Plantagenet
937.China moderna – Rana Mitter
938.Dinossauros – David Norman
939.Louca por homem – Claudia Tajes
940.Amores de alto risco – Walter Riso
941.Jogo de damas – David Coimbra
942.Filha é filha – Agatha Christie
943.M ou N? – Agatha Christie
944.Maigret se defende – Simenon
945.Bidu: diversão em dobro! – Mauricio de Sousa
946.Fogo – Anaïs Nin
947.Rum: diário de um jornalista bêbado – Hunter Thompson
948.Persuasão – Jane Austen
949.Lágrimas na chuva – Sergio Faraco
950.Mulheres – Bukowski
951.Um pressentimento funesto – Agatha Christie
952.Cartas na mesa – Agatha Christie
953.Maigret em Vichy – Simenon
954.O lobo do mar – Jack London
955.Os gatos – Patricia Highsmith
956.Jesus – Christiane Rancé
957.História da medicina – William Bynum
958.O morro dos ventos uivantes – Emily Brontë
959.A filosofia na era trágica dos gregos – Nietzsche
960.Os treze problemas – Agatha Christie

UMA SÉRIE COM MUITA
HISTÓRIA PRA CONTAR

Geração Beat | Santos Dumont | Paris: uma história | Nietzsche
Jesus | Revolução Francesa | A crise de 1929 | Sigmund Freud
Império Romano | Cruzadas | Cabala | Capitalismo | Cleópatra
Mitologia grega | Marxismo | Vinho | Egito Antigo | Islã | Lincoln
Tragédias gregas | Primeira Guerra Mundial | Existencialismo
Escrita chinesa | Alexandre, o Grande | Guerra da Secessão
Economia: 100 palavras-chave | Budismo | Impressionismo

Próximos lançamentos:
Cérebro | Sócrates
China moderna | Keynes
Maquiavel | Rousseau | Kant
Teoria quântica | Relatividade
Jung | Dinossauros | Memória
História da medicina
História da vida

L&PM POCKET **ENCYCLOPÆDIA**
Conhecimento na medida certa

IMPRESSÃO:

Pallotti
GRÁFICA EDITORA
IMAGEM DE QUALIDADE

Santa Maria - RS - Fone/Fax: (55) 3220.4500
www.pallotti.com.br